Eu amo você!

Eu amo você!

namoro, noivado, casamento & sexo

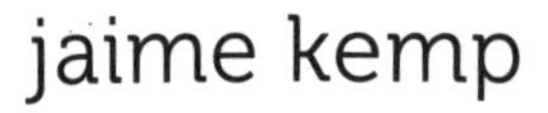

2ª edição: julho de 2013
3ª reimpressão: abril de 2023

Revisão
Noemi Lucília Lopes

Capa
Maquinaria Studio

Diagramação
Fabricio Galego

Editor
Aldo Menezes

Coordenador de produção
Mauro Terrengui

Impressão e acabamento
Imprensa da Fé

Editora Hagnos Ltda.
Rua Geraldo Flausino Gomes, 42, conj. 41
CEP 04575-060 — São Paulo, SP
Tel.: (11) 5990-3308

E-mail: hagnos@hagnos.com.br
Home page: www.hagnos.com.br

Editora associada à:

Dados Internacionais de Catalogação na Publicação (CIP)
(Câmara Brasileira do Livro, SP, Brasil)

Kemp, Jaime

Eu amo você: namoro, noivado, casamento & sexo / Jaime Kemp. — 2ª ed. rev. — São Paulo: Hagnos, 2013.

ISBN 85-243-0325-5

1. Amor – Aspectos religiosos – Cristianismo
2. Casamento – Aspectos religiosos – Cristianismo
3. Juventude – Vida religiosa
4. Namoro – Aspectos religiosos – Cristianismo
5. Noivado – Aspectos religiosos – Cristianismo
6. Sexo – Aspectos religiosos – Cristianismo
7. Vida cristã
I. Título

05-0347 CDD 248:83

Índices para catálogo sistemático:
1. Adolescentes: Guias de vida cristã 248:83
2. Jovens: Guias de vida cristã 248:83

Dedicatória

Com profundo amor e gratidão eu dedico este livro aos missionários de *Vencedores por Cristo.*

Foi por meio das experiências deste ministério, juntamente com Guilherme e Sandra Kerr, Dimas e Janis Pezzato, José Ronaldo dos Reis Peyroton, Nelson e Nila Pinto, Ivailton e Zuleica dos Santos, e também, Laudir e Sonia Pezzatto, Osiander e Márcia Schaff da Silva, atualmente no ministério do pastorado, que aprendi a respeito dos problemas e dúvidas do jovem brasileiro quanto ao namoro, noivado, casamento e sexo.

Sumário

Prefácio

"Até onde eu posso ir com as carícias no meu namoro?" – pergunta o interessado e evidentemente comprometido adolescente, ao preletor, diante de um grupo de mais de quinhentos jovens. Estes, pela expressão de seus rostos, bebem cada palavra da palestra e, com igual interesse, aguardam a resposta que o preletor dará à questão – que, na realidade, todos querem fazer, mas que a maioria se sente constrangida de formular.

"Até onde, pastor? Existem limites? Quais são eles? Quem os estabelece?" – insiste o rapazinho, cuja namorada se esforça para esconder a inquietação e a vergonha pela insistência do companheiro em expor publicamente as dúvidas e desassossegos de ambos. Certamente ela preferiria que ele ficasse quieto ou que, pelo menos, fizesse suas perguntas ao pastor, depois, em particular. O pastor não se apressa em responder. Deixa a turma bem à vontade e brinca com o rapaz: "Já sei que você gosta de andar bem na beira do precipício, hein? Você quer saber os limites para poder andar bem em cima deles, não é mesmo?!"

Todos riem, até o jovem, e a palestra continua neste clima de descontração em que, brincando, vai-se falando sério. Jogando uma piada aqui, outra acolá, vai-se lançando os princípios eternos, sérios e imutáveis da Palavra de Deus.

Conversando-se pessoalmente nos intervalos das palestras vai--se tirando dúvidas, esclarecendo-se incertezas, consolando os desanimados e levantando os fracos. É difícil pensar em outra área da vida cristã, pelo menos entre os jovens, que tenha tantas incertezas, desânimos, fraquezas e quedas, quanto o namoro.

Foi sentindo essa necessidade que este livro foi escrito. Ele nasceu no meio dos jovens. Suas letras, linhas e páginas carregam mais de trinta anos de convivência com um incontável número de jovens nos quatro cantos do país. É isso mesmo – ele nasceu no Brasil. Embora seu autor seja norte-americano, o coração deste livro, assim como o do autor, é brasileiro. Ambos são queimados pela geada e ventos frios de Santana do Livramento, Santa Maria e Pelotas. São marcados pelas estradas de Itajaí, Joinville, Florianópolis e dos Estados do Paraná, São Paulo, Rio, e subindo por aí afora...

Talvez a sua história e o seu coração também estejam aqui. Mais do que isso, porém, este livro nasceu no propósito amoroso de um Deus pessoal. Talvez esta seja sua maior virtude: ter sido escrito por um grande pecador, redimido por um grande Deus. Mas, este livro foi mesmo iniciado quando Deus principiou a escrever a história de um moço que, aos 18 anos, com padrões de conduta moral e namoro totalmente desvirtuados, foi alcançado pela misericórdia de um Deus amoroso e pessoal.

E esse Deus, com tão grande amor, foi transformando a mente, o coração, as atitudes e os propósitos desse jovem, a ponto de fazê-lo "Embaixador de Cristo" a outros povos (cargo mais honroso a que alguém pode jamais aspirar). Fez dele, um moço consagrado, um marido fiel, um pai amoroso e sensível. Por isso é fácil perceber que este livro começou no coração de Deus. Foi ele quem chamou o Jaime. Foi ele quem o deu (pelo menos por um tempo) ao ministério no Brasil. Foi ele quem transformou o Jaime e tem transformado tantos outros, por meio das palestras que hoje se transformam neste livro, para seu proveito, amado leitor, e para a glória de Deus. É com muita alegria que o recomendo. Aleluia!

Guilherme Kerr Neto

Capítulo 1

Era uma vez...

Agrada-te também do SENHOR,
e ele satisfará o desejo do teu
coração.
(Salmos 37:4)

Em 2 de junho de 1963, um lindo dia de sol, em Los Angeles, Califórnia, eu me formava, na faculdade "BIOLA", após árduos anos de estudos. Aquele dia, por duas razões, ficaria marcado como muito significativo em minha vida. Primeiro, porque eu conseguiria terminar o meu curso e, depois, porque precisava me despedir de Maria Rute, uma linda garota com quem eu estava namorando.

Maria Rute, uma gatinha de cabelos castanhos e olhos azuis, estava no segundo ano da faculdade e cantava no nosso conjunto. Eu estava totalmente apaixonado ou, como dizem os jovens, "vidrado" nela. Mas Maria Rute sentia que Deus a estava dirigindo para trabalhar num acampamento de jovens naquele verão, entre os meses de junho e agosto, e eu havia decidido trabalhar com meu pai, um construtor de casas, no norte da Califórnia.

A despedida, naquele dia, ao mesmo tempo feliz e triste, foi bem difícil para nós. Estávamos namorando há um ano e, durante esse tempo, cantávamos no mesmo grupo, orávamos e nos divertíamos juntos. A dificuldade aumentava porque não sabíamos quando iríamos nos encontrar de novo, pois, embora ela fosse continuar seu curso em Los Angeles, eu estava decidido a fazer pós-graduação em Portland, no Estado de Oregon. Por isso, comprometemo-nos a seguir com nossos planos individuais, mas a nos escrever fielmente.

De fato, durante o primeiro mês de nossa separação, recebi de Maria Rute quase que uma carta por dia, e eu, às vezes, lhe escrevia até duas vezes por dia. Eu estava tão apaixonado que costumava colocar aquelas cartas debaixo do meu travesseiro.

Com o passar dos meses, porém, as cartas foram diminuindo e eu comecei a ficar apavorado. "O que estará acontecendo? Será que ela achou outro sujeito mais bonito? (o que não seria nada difícil)". Essas e outras perguntas bombardeavam a minha mente: "Será que posso ter certeza de que Deus não vai 'dar mancada' comigo? Será que Deus está interessado em meu namoro?" – perguntava a mim mesmo... Comecei a orar a Deus: "Senhor, tu sabes o quanto quero a tua vontade, mas, Senhor, que a tua vontade seja ela para mim!"

Você também já orou assim: "Senhor, que a tua vontade seja *ele(a)*, ou *aquela* faculdade, *aquele* carro?" Ou seja, comecei a fazer chantagem com o Senhor. Dizia: "Se o Senhor 'quebrar o galho' para mim, eu faço isso, faço aquilo etc." Fiz o que, infelizmente, muitas vezes fazemos – comecei a prometer o que nunca poderia cumprir. Enquanto pedia a vontade dele, queria também a minha. Será que você já fez isso alguma vez na vida? Fazemos nossos planos e pedimos a autenticação de Deus nos mesmos.

Como foi difícil entregar o namoro nas mãos de Deus e confiar no "Deus da minha salvação"! Parece que com todos os jovens é a mesma coisa: entregar toda a vida, todo o futuro, é até certo ponto fácil, mas o namoro, "ah, isto é outra coisa!"

Bem, nessa minha angústia em querer a vontade de Deus e, também, Maria Rute, Deus me deu um versículo muito precioso:

> *Agrada-te também do SENHOR, e ele satisfará o desejo do teu coração* (Salmos 37:4).

E qual era o desejo do meu coração? Eu vou lhe dizer: uma linda moça de cabelos castanhos e olhos azuis, chamada Maria Rute! Mas houve uma semana em que não recebi nenhuma carta dela. Tenso, resolvi fazer-lhe um interurbano. Com bastante dificuldade, conseguimos conversar e logo percebi que algo estava acontecendo e que o nosso relacionamento estava esfriando. Depois de mais ou menos 15 minutos de conversa, o Senhor voltou a falar ao meu coração: "Jaime, agrada-te do Senhor, põe em primeiro lugar o meu reino e minha justiça, e todas as outras coisas te serão acrescentadas..." Mas será que eu posso confiar? Será que Deus não vai falhar?

Eu ouvia o Diabo cochichando ao meu ouvido: "Deus não é bom, Deus não é fiel, ele gosta de tirar as coisas boas de você!" Uma semana depois comecei a desenvolver certa rebeldia. Nunca cheguei a dizer que eu estava chateado com Deus, mas creio que sentia isso no coração. Pensei que ele havia me abandonado. Quando esses pensamentos atingiram seu clímax, eu recebi uma carta de Maria Rute. Eu estava com medo de abri-la, medo de saber algo da vontade de Deus para a minha vida. Antes de abrir o envelope, comecei de novo a fazer chantagem com Deus, imaginando que isso mudaria magicamente o conteúdo da carta.

O primeiro parágrafo era aquela saudação de praxe. Quando cheguei à segunda sentença do segundo parágrafo, meus olhos caíram sobre as palavras: "eu sinto que é da vontade de Deus que desmanchemos o namoro". Naquela hora eu tive vontade de chorar, e chorei mesmo. Eu estava mais chateado com Deus do que com Maria Rute. Comecei a perguntar a Deus: "Como o Senhor fez uma coisa dessas comigo? Nós não fizemos um trato?"

Eu estava tão triste que até pensei em desistir de ser missionário achando que, com isto, Deus reconsideraria o que havia feito... Esta briga durou mais ou menos duas semanas. Um dia, recebi uma carta da mãe de Maria Rute. Ela ficara sabendo o que havia acontecido e me escreveu. Não lembro o que ela falou na carta, mas recordo até hoje de uma poesia que ela mandou dentro do envelope. Essa poesia descrevia a nossa vida como uma série de portas diante de nós. Cada passo que nós damos deixa-nos diante de uma dessas portas e o Senhor nos dá a chave para que possamos abri-la. A pessoa com quem vamos nos casar é uma das portas mais importantes da nossa vida e, na hora certa, com a pessoa escolhida por Deus, ele vai dar a chave para que nós mesmos possamos abri-la.

Em setembro daquele ano, ingressei numa faculdade teológica na cidade de Portland. Àquela altura eu já tinha esfriado um pouco a "cuca" e percebi que havia pensado e falado muita bobagem sobre o Senhor. Nos primeiros dois anos, dediquei-me aos estudos e quase não namorei. Então, a imagem de uma moça com olhos azuis e cabelos castanhos começou a desvanecer-se em minha mente e, embora não tivesse recebido mais nenhuma notícia dela, sentia que ainda existia uma pequena chama acesa em meu coração.

Durante meus anos de seminário eu pastoreei uma igreja na cidade onde estudava. A igreja, juntamente com os estudos, tomava todo o meu tempo e me ajudou a esquecer a "gatinha" do passado. De vez em quando, o Senhor voltava a cochichar ao meu ouvido: *Agrada-te também do SENHOR, e ele satisfará o desejo do teu coração.*

Eu nem imaginava que, naquela época, em Portland, existia uma moça com 21 anos de idade, loira, de olhos verdes, chamada Judith. Essa moça estava no último ano da faculdade de enfermagem. Quando ela tinha 12 anos de idade, num acampamento de jovens, entregou a sua vida a Jesus para ser uma missionária. E, então, lá estava ela, nove anos depois, morando no internato e orando assim: "Senhor, tu conheces o meu coração, tu sabes que eu estou pronta para ir ao campo missionário sozinha, mas se o Senhor quiser mandar um missionário comigo, por favor, mande-o".

E eu, no outro lado da cidade, pastoreando a minha igreja, estudando os meus livros, tentando entregar diariamente os meus sentimentos e desejos ao Senhor, orava: "Senhor, tu conheces o meu coração, tu sabes que eu estou pronto para ir ao campo missionário sozinho, mas se o Senhor quiser mandar uma missionária comigo, por favor, mande-a".

E o meu Deus, ouvindo a oração de uma moça, com medo de ficar "solteirinha da silva", e de um rapaz, com medo de ser mandado sozinho para a selva, na África, estava ouvindo aquelas orações e ajeitando tudo...

Eu gosto muito de pensar no caso de Adão e Eva. A Bíblia nos diz que Adão estava sozinho lá no jardim, entre tudo o que Deus havia criado, *mas não se achava uma ajudadora adequada para o homem.* É importante notar que foi Deus quem disse: *Não é bom que o homem esteja só; eu lhe farei uma ajudadora que lhe seja adequada.* Deus tomou a iniciativa na vida de Adão, e ele quer tomar a iniciativa na sua vida também, amigo. A Bíblia relata: *Então o SENHOR Deus fez cair um sono pesado sobre o homem, e este adormeceu; tomou-lhe, então, uma das costelas, e fechou a carne em seu lugar; e da costela que o SENHOR Deus lhe havia tomado, formou a mulher e a trouxe ao homem* (Gênesis 2:21,22).

Adão dormiu, enquanto Deus fez a primeira operação cirúrgica da história. É importante notar que, enquanto Adão descansava – literalmente dormia na vontade do Senhor – Deus preparava a sua futura esposa. E que mulher ele preparava...! Miss Universo! Tinha que ser; afinal, era a única mulher no mundo.

Jovem, você está dormindo na vontade de Deus? Na hora "H" você duvida da promessa de Deus? Deus sabe o que é melhor para você. Ele o criou, e o salvou e sabe quais são todos os seus desejos mais íntimos. Por que, então, você não descansa num Deus de tão profundo conhecimento?

Mas, voltando à minha história, certa noite eu estava pregando na minha igreja e no meio da mensagem, olhei para a entrada e "tchan-tchan-tchan...!" Aquela linda loira, de olhos verdes, que não queria ir para o campo missionário sozinha, estava visitando a minha igreja. Aquele foi meu primeiro contato com Judith. Naquela época ela estava namorando outro rapaz. Ele era crente, mas não tinha nenhum desejo de servir ao Senhor como missionário, então, certo dia, Judith desmanchou o namoro e eu aproveitei a oportunidade.

Dois meses depois, precisamente na noite do dia 2 de dezembro de 1964, nós nos conhecemos melhor. Ah, que noite inesquecível aquela! Se estou bem lembrado, era uma quarta-feira. Fui para o meu quarto no internato do seminário não podendo pensar em outra coisa a não ser em uma loirinha que, aos poucos, entrava em minha vida.

Na sexta-feira, um colega meu, casado, ao qual eu havia contado tudo sobre ela, sugeriu que eu telefonasse para Judith, convidando-a para ir a um concerto musical na cidade. Achei uma ótima sugestão! Mas havia um problema: eu estava sem coragem para convidá-la. Depois de pensar muito sobre aquilo, resolvi acreditar na filosofia: "quem não arrisca, não petisca."

Assim, à noite, eu disquei para o internato onde ela morava. Enquanto ela estava sendo chamada, meu coração palpitava tanto que pensei que iria saltar fora. Quando, enfim, ela falou "alô?", eu quase estava sem jeito de falar, mas me enchi de coragem e perguntei: "Haverá um concerto musical na cidade amanhã à noite, você não gostaria de ir comigo?" Ela disse alegremente: "Jaime, eu gostaria muito!" Espero que ela não tenha ouvido os meus joelhos batendo um no outro. Também a convidei para jantar comigo e marcamos o horário. Tudo combinado!

No sábado acordei cedo. Saí para lavar meu Chevrolet. Deixei-o brilhando e todo perfumado por dentro. Fiz reserva no melhor restaurante da cidade, uma churrascaria fabulosa! Tomei banho, coloquei a melhor roupa, engraxei meus sapatos e lá fui eu apanhar minha "gata".

Cheguei ao internato em cima da hora. Queria que a primeira impressão fosse perfeita. Então ela chegou e nos cumprimentamos. Não pense que eu a beijei, não! Fomos caminhando para o carro e eu, como cavalheiro, abri a porta para Judith. Uma vez no carro, enfiei a chave no contato, e nesse momento começou uma luta dentro de mim. Durou somente alguns segundos, mas eu havia pensado seriamente sobre os princípios e propósitos de Deus em relação à minha vida de namoro, e eu queria um namoro completamente cristão.

Senti que Deus queria que eu orasse com ela, mas pensei: "Será que ela vai achar que sou um fanático religioso? O que ela vai pensar?" Decidi ficar firme no propósito que Deus havia colocado em meu coração. Olhei para Judith meio sem jeito e perguntei: "Você não gostaria de orar comigo, antes de a gente sair?" Ela disse: "Sim, vamos". Na minha oração convidei o Senhor Jesus para participar conosco das atividades daquela noite.

Comemos o delicioso churrasco daquele restaurante e fomos para o local do show. Lá encontramos nossos amigos e, depois do concerto, escolhi a melhor sorveteria na grande cidade de Portland. Gastei uma "grana" naquela noite, especialmente considerando que eu era um seminarista "duro". Hoje, minha esposa sempre fala: "Desde aquele dia você nunca mais gastou tanto dinheiro comigo". Bem, voltamos mais ou menos à meia-noite, e nos despedimos.

Isso aconteceu em 5 de dezembro de 1964. Ficamos noivos no dia 8 de junho de 1965. Ela estava com 21 anos de idade e eu, com 25. O dia mais importante das nossas vidas, contudo, foi 25 de setembro de 1965. Desde então eu e Judith temos estado casados há mais de 47 anos. Hoje, temos três lindas filhas, um netinho e muitos anos de felicidade.

Mas, antes de terminar este primeiro capítulo, preciso contar mais alguma coisinha... Quando eu estava lá no altar da igreja que ela frequentava, a igreja cheia de parentes e amigos, o órgão tocando romanticamente, de repente surgiu aquela linda moça de olhos verdes, vestida de branco... Ela desceu o corredor com seu pai... Enquanto caminhavam em minha direção vários pensamentos passaram pela minha mente.

Algo como: "Puxa, como eu amo esta menina!" Mas o pensamento mais importante foi uma palavra do Senhor: "Jaime", ele disse com aquela voz suave, "agrada-te também do Senhor, e ele satisfará o desejo do teu coração". Peguei a mão da minha querida noiva e nós dois fomos para o altar e cantamos juntos um hino que se tornou uma oração para nós: "Senhor, como nosso pastor, dirige-nos". Tenho experimentado muitas vezes a realidade desta promessa, desde aquele dia em que nós, olhando um para o outro, fizemos os nossos votos mútuos.

Jovem, você não precisa ter medo da vontade de Deus, porque ela é boa, agradável e, mais do que tudo, perfeita. Então, descanse nele. Deus jamais o abandonará nesta, ou em qualquer outra área da sua vida. Ele sabe quais são os desejos do seu coração e irá satisfazê-los dentro do seu plano perfeito.

Querido Pai, eu confesso que é tão difícil entregar o meu namoro em tuas mãos. É tão difícil acreditar que tu estás mais interessado em saber com quem eu vou me casar do que eu mesmo. E, além disto, Senhor, Satanás sempre cochicha ao meu ouvido, que tu não és bom, que tu queres me castigar e tirar toda a minha alegria. Senhor, eu reconheço que a tua Palavra é verdadeira quando promete: Agrada-te também do Senhor, e ele satisfará o desejo do teu coração.

Senhor, mais uma vez eu ponho meu namoro no teu altar como um sacrifício vivo, santo e agradável. Jesus, aceita o meu sacrifício e quando eu esquecer a minha entrega, lembra-me de novo e me dá coragem para confiar que tu não darás "mancada" comigo. No nome do meu fiel Salvador. Amém.

Capítulo 2

Que sociedade...? Que harmonia...? Que união...?

Por acaso andarão duas pessoas juntas, se não estiverem de acordo?
(Amós 3:3)

Querido Pai, eu quase não posso acreditar que este é o dia do meu casamento. Eu sei que não tenho tido oportunidade de passar muito tempo contigo, com tantos preparativos para este dia. Por favor, Pai, perdoa-me! Também sinto um pouquinho de culpa quando converso contigo sobre isso, desde que Carlos ainda não é crente. Mas, oh, Senhor, eu o amo tanto! Que mais posso fazer? Eu não podia desmanchar nosso relacionamento. Oh, Senhor, tens que salvá-lo de alguma maneira. Tu sabes o quanto eu tenho orado por ele, também, como temos conversado sobre o evangelho. Eu tentei não parecer uma religiosa porque não queria assustá-lo. Senhor, ele não é antagonista e eu mesma não entendo por que ele ainda não entregou a sua vida a ti. Oh, Senhor, se ele fosse um crente!

Querido Pai, por favor, abençoa nosso casamento. Eu não quero ser desobediente a ti, mas eu amo aquele homem e ele quer que eu seja a sua esposa. Portanto, Senhor, por favor, está conosco e não estragues este dia, o dia do meu casamento.

Certo dia, uma moça veio conversar comigo no escritório. Vamos chamá-la "Cristina". Ela tinha participado em um dos conjuntos de *Vencedores por Cristo*. Fez o treinamento intensivo e sabia os princípios e propósitos de Deus sobre o namoro cristão.

Depois de alguns momentos de conversa, eu descobri que ela estava namorando um rapaz não crente. Perguntei-lhe: "Cristina, o que você está fazendo? Já se esqueceu do que nós estudamos sobre o plano de Deus para esta área da sua vida?" Ela ficou quieta e pensativa por um momento, depois respondeu assim: "Sabe, Jaime, é verdade que ele não é crente, mas é um cara muito legal; é mais cavalheiro do que a maioria dos rapazes crentes que eu conheço. E sabe o quê? Ele me leva para minha igreja! Creio que ele está aberto. Vou testemunhar para ele e ganhá-lo para Cristo".

Eu olhei para Cristina e falei: "Olha, cuidado com este tipo de justificativa! Você tem certeza que isto não é a voz do Diabo cochichando ao seu ouvido?" Ela saiu do meu escritório naquele dia tentando me convencer de que aquele relacionamento não iria prejudicá-la. Alguns meses depois fiquei sabendo que Cristina havia se casado com aquele homem. Até me disseram que o casamento foi muito lindo. Naquela hora pensei: "Será que ele entregou a sua vida a Jesus como Senhor e Salvador?"

Exatamente depois de um ano e nove meses eu estava no meu escritório e o telefone tocou. Quem estava na linha?... Adivinhou?... Sim, Cristina! Aquela moça sorridente, bonita, cheia de vida me assustou quando, já na primeira frase, começou a chorar. Eu perguntei: "Cristina, o que está acontecendo?" Ela disse: "Jaime, estou desesperada, preciso falar urgentemente com você!"

Nós marcamos um encontro no meu escritório. Quando eu a vi, fiquei assustado. Em pouco mais de dois anos o semblante dela havia mudado totalmente para uma aparência triste, frustrada e abatida. Eu me lembro de que uma das primeiras coisas que ela me falou foi o seguinte: "Jaime, eu não o conhecia (referindo-se ao marido). Quando éramos namorados ele era tão gentil, tão atencioso, tão carinhoso, me levava para a igreja... Nos domingos à tarde ele esperava pacientemente enquanto ensaiávamos o coro. Mas, depois que nos casamos, ele mudou completamente. Não quis saber mais de igreja e até parece que acabou aquele carinho e amor que nós sentíamos no namoro".

A conversa terminou com Cristina dizendo: "Jaime, já começamos o processo de divórcio". Hoje ela está divorciada e tem uma filha. Não sei o que vai acontecer com Cristina, mas uma coisa eu sei: ela não teria passado por esta dor, se tivesse ouvido e obedecido aos princípios da Palavra de Deus. Quando começou a duvidar daquilo que Deus falou, e a se justificar, ela passou a andar por um caminho que a levou a muita tristeza e dor.

Quantas histórias temos para contar de jovens que começaram um relacionamento que Deus não pode abençoar, por ignorância ou por simples desobediência! Muitos jovens falam para mim: "Sabe, Jaime, meu pai não era crente quando se casou com minha mãe, mas agora é um líder na nossa igreja". Como responder a um raciocínio destes? Pela graça e misericórdia de Deus, seu pai é crente! Jovem, louve o Senhor por isso, mas não use esta linha de pensamento, porque, enquanto você me conta o caso de um pai ou de uma mãe que aceitou Jesus depois do casamento, eu conto nove casos de casamentos mistos em que há tristeza, brigas, desarmonia, separação e divórcio.

Uma pergunta: "Se você soubesse que 90% dos voos da TAM, partindo de São Paulo com destino ao Rio de Janeiro, às 8 horas, das terças-feiras, estavam caindo, você tomaria um avião neste horário?" Você responderia: "Claro que não! Eu não sou burro!" Mas quantos jovens estão dispostos a entrar num relacionamento que, provavelmente, nunca dará certo!

Em 2Coríntios 6:14-18, o apóstolo Paulo dá uma instrução extremamente importante a respeito do nosso relacionamento íntimo. Ele diz:

Não vos coloqueis em jugo desigual com os incrédulos; pois que sociedade tem a justiça com a injustiça? Que comunhão entre luz e trevas? Que harmonia entre Cristo e Belial? Que parceria tem o crente com o incrédulo? E que acordo tem o santuário de Deus com ídolos? Pois somos santuário do Deus vivo, como ele disse: Habitarei neles e entre eles andarei; eu serei o seu Deus e eles serão o meu povo. Portanto, saí do meio deles e separai-vos, diz o Senhor; e não toqueis em nenhuma coisa impura, e eu vos receberei. Serei para vós Pai, e sereis para mim filhos e filhas, diz o Senhor Todo-Poderoso. Para que possamos entender o que Paulo estava dizendo, precisamos lembrar alguma coisa sobre os coríntios. A cidade de Corinto era tremendamente pecaminosa como, por exemplo, a cidade de São Francisco, na Califórnia, ou o Rio de Janeiro, aqui no Brasil. Faziam, inclusive, parte da adoração no templo pagão em Corinto, mais de mil prostitutas. Foi nessa cidade que Paulo e sua equipe pregaram o evangelho transformador, e alguns pagãos foram transportados do *domínio das trevas para o reino do seu Filho amado.* Foi para este grupo que, na sua primeira carta, ele escreveu:

> *Não sabeis que os injustos não herdarão o reino de Deus? Não vos enganeis: nem imorais, nem idólatras, nem adúlteros, nem os que se submetem a práticas homossexuais, nem os que as procuram, nem ladrões, nem avarentos, nem bêbados, nem caluniadores, nem os que cometem fraudes herdarão o reino de Deus* (1Coríntios 6:9,10).

Essa lista descreve as pessoas de Corinto. E Paulo ainda acrescenta:

> *Alguns de vós éreis assim. Mas fostes lavados, santificados e justificados...*

Foi para esta gente que Paulo disse na sua segunda carta aos Coríntios:

Não vos coloqueis em jugo desigual... Em 1967, meu primeiro ano no Brasil, viajamos para o interior de Minas Gerais. Uma lembrança que trago comigo dessa viagem foi a visão de dois bois puxando um carro cheio de cana, conduzidos por um rapaz, a pé, com uma vara na mão. As rodas do carro iam "cantando" e "machucando" o ouvido. Entretanto, o que mais me impressionou naquele quadro foi o jugo – ou canga – sobre o pescoço dos bois.

Fui criado na roça, numa região ao norte da Califórnia. Quando garoto, aprendi com meu pai que nunca se deve colocar um cavalo e um boi na mesma canga. "Por quê?" – perguntei ao meu pai. Ele me disse: "Jaime, o cavalo vai correr para um lado e o boi vai andar devagar para o outro. Nunca vão puxar o carro juntos, porque a natureza de um é totalmente diferente da natureza do outro".

O apóstolo Paulo usa a ilustração da canga para descrever o nosso relacionamento íntimo com outras pessoas. Certamente o relacionamento no casamento é o mais longo e o mais íntimo da vida humana. Não ponha seu pescoço para trabalhar, brincar, andar juntos, criar filhos, servir ao Senhor, na mesma canga com uma pessoa que não tem Cristo como Senhor e Salvador de sua vida. Se você fizer isto, o casamento estará incompleto. O aspecto primordial do casamento, que é a unidade espiritual, estará perdido. Paulo faz cinco comparações para enfatizar que um casamento misto não dá certo. Primeiramente, ele fala aos crentes, dizendo:

Não vos coloqueis em jugo desigual com os incrédulos... Segundo, ele pergunta: [...] *que sociedade tem a justiça com a injustiça?*

O que Paulo está dizendo é o seguinte: "Não há a menor possibilidade de estes trabalharem juntos". Quantos casais estão trabalhando em vão porque Cristo não está edificando o seu lar!

Em terceiro lugar, Paulo pergunta: *Que comunhão entre luz e trevas?*

Se entramos numa sala escura e acendemos a luz, imediatamente a escuridão tem de fugir porque não há convivência da luz com as trevas. Somos filhos da luz. Não há possibilidade de termos comunhão com os filhos das trevas. A filosofia, os valores e o comportamento dos filhos da luz são totalmente diferentes dos das trevas. Um rapaz chega para mim e fala: "Pastor Jaime, você está dizendo que a minha "gatinha", com cabelos castanhos, olhos azuis, bonita toda a vida, é filha das trevas?" E eu falo: "Não, eu não falei isso. É Deus quem fala. Se ela não foi lavada pelo sangue de Jesus, santificada pelo Espírito e justificada, ela não faz parte da família de Deus e, portanto, não há nenhuma possibilidade de uma comunhão íntima, do relacionamento mais íntimo da vida, que é o casamento com ela".

Em quarto lugar, Paulo pergunta:

Que parceria tem o crente com o incrédulo?

Somos habitação de Deus. Não somos de nós mesmos. Fomos comprados por um preço alto, e Paulo está dizendo: "Não pode existir unidade entre o santuário de Deus e os ídolos". Ele estava se referindo aos ídolos no templo pagão de Corinto. Agora temos novidade de vida e isso requer novas amizades íntimas. Paulo continua com as perguntas:

Que harmonia entre Cristo e Belial?

Paulo, aqui, não fala simplesmente de um descrente. Quando ele usa essa frase, está se referindo a um homem ou a uma mulher totalmente nas mãos do Diabo.

Ao final de uma de minhas palestras em São Paulo, um jovem escreveu um bilhete para mim que dizia o seguinte: "Pr. Jaime, não quero saber de casamento porque até hoje não encontrei um casamento harmonioso!" Que pena! Quantos jovens estão sentindo a mesma coisa, pensando que o casamento "já era", porque não têm visto uma família feliz! O casamento é a primeira instituição de Deus. Portanto, dentro do plano de Deus e dos princípios que ele estabeleceu tem de ser o relacionamento mais bonito de todos na vida. Jovens enamorados, Deus quer habitar e andar entre vocês. Ele quer participar das suas atividades e ajudá-los no seu comportamento. Ele quer ser o Senhor também no seu namoro.

Este é o argumento de Paulo quando ele cita uma passagem do Antigo Testamento, referindo-se a Israel. A nação fora escolhida para ser luz e sal no meio das nações pagãs ao redor. Ela desobedeceu, começou a casar com as nações perversas, começou a adotar a sua filosofia e sistema de valores e Deus disse: *Retirai-vos do meio deles, separai-vos.*

Não há dúvida nenhuma de que nós devemos ser luz e sal. Luz que deve brilhar na escuridão e sal para preservar o que resta de uma sociedade pervertida, corrupta e decaída. Isso requer a nossa presença, e até amizade, com pessoas da sociedade, mas Paulo está se referindo a intimidades como ocorrem no namoro, noivado e casamento.

Posso dizer, sem medo de errar, que pelo menos 75% de todos os problemas que encontro em aconselhamento de casais, têm origem na época de namoro e noivado.

Jovem, Deus tem um plano maravilhoso para você! Deus está mais interessado em saber com quem você vai se casar do que com você mesmo. Espere nele e ele tudo fará.

> *Agrada-te também do SENHOR, e ele satisfará o desejo do teu coração* (Salmos 37:4).

Deus me deu este versículo quando eu estava inquieto e inseguro em relação a esta área da minha vida. Deus não falha. Ele prometeu que vai satisfazer seus desejos. Verifique se seus desejos estão dentro dos padrões de Deus, e espere nele. Deus sabia exatamente que tipo de esposa eu precisava e me deu Judith, três filhas e, por enquanto, um lindo neto. Como ele é fiel! E ele será fiel com você também. Basta confiar e esperar nele.

Senhor Jesus, confesso que há dentro de mim uma luta muito grande porque quero a tua vontade. Por outro lado, também quero aquele homem bonito. Senhor, eu sei que ele não é crente, mas é um cara tão legal, mais cavalheiro do que a maioria dos rapazes crentes que eu conheço. Senhor, temos tanta coisa em comum! Tu não achas que eu posso ganhá-lo para o teu reino, Senhor, quando eu paro e penso nestas minhas justificativas, sei que estou errada.

Jesus, quero um marido crente que assumirá a liderança espiritual do meu lar. Portanto, dá-me coragem para conversar com ele e, se for necessário, desmanchar meu namoro. Senhor, tu sabes que isto não vai ser fácil para mim e por isso eu peço sabedoria e força para obedecer-te. Amém!

Capítulo 3

Namoro a três!

> *Portanto, seja comendo,*
> *seja bebendo, seja*
> *fazendo qualquer outra*
> *coisa, fazei tudo para a*
> *glória de Deus.*
> (1Coríntios 10:31)

No último capítulo falamos sobre a importância do namoro cristão. Isto quer dizer que ele e ela são crentes, lavados pelo sangue de Jesus Cristo, santificados e justificados. Deus nos fala: *Não vos coloqueis em jugo desigual com os incrédulos...* Colocar-se em jugo desigual resulta em um casamento incompleto, porque o aspecto prioritário do casamento, que é a unidade espiritual, está perdido. Esta é a decisão primária que todo jovem crente deve tomar. E quem tomar esta decisão pode ter certeza que o Diabo vai cochichar ao seu ouvido, tentando afastá-lo do caminho do Senhor. Uma vez tomada esta decisão, a segunda será: "Eu basearei o meu namoro nos princípios e propósitos de Deus".

Certa vez, num dos meus seminários, eu fiz a seguinte pergunta para os rapazes: "Quando foi a última vez que você orou com a sua garota?" Depois da palestra, um rapaz me disse: "Jaime, oração no namoro? Não tem cabimento!" Eu falei para aquele jovem crente: "Se não há ambiente para oração, alguma coisa está errada no seu namoro, porque a oração deve ser a prática mais espontânea na vida cristã, dentro ou fora do namoro".

A nossa tendência, como crentes, é catalogar em nossa vida as coisas que achamos que são espirituais e as que achamos que são coisas do dia a dia. Por exemplo, muitos jovens pensam que lecionar na Escola Dominical é naturalmente uma atividade espiritual. Mas nunca pensam que conversar com sua garota ou seu namorado, ou comerem uma pizza juntos, seja atividade espiritual. O apóstolo Paulo acaba com esta ideia quando fala em 1Coríntios 10:31: *Portanto, seja comendo, seja bebendo, seja fazendo qualquer outra coisa, fazei tudo para a glória de Deus.* Certamente, meu amigo, isso inclui o seu namoro. Deus quer participar em todas as atividades da nossa vida.

Uma moça certa vez me disse: "Jaime, nós não oramos, nem lemos a Bíblia, ou conversamos sobre coisas espirituais no nosso namoro porque o meu namorado é um pouquinho tímido a respeito de coisas espirituais". "Muito bem", eu disse, "posso entender essa timidez se ele é um crente novo, ou se seu namoro está no início. Entretanto, se depois de seis meses ou um ano, ele ainda não quer orar, ou ler a Palavra com você, você deve pensar seriamente se quer continuar com ele ou não."

Como um casal pode basear seu namoro nos princípios e propósitos de Deus, se Deus não tem parte integral nele? Deus quer que os dois cresçam na sua vida espiritual. Esta será a melhor maneira de desenvolver unidade espiritual no seu relacionamento. Se o seu casamento não desenvolver este alicerce, não poderá resistir às tempestades e crises que a vida conjugal há de trazer. Jovem, sem os princípios e propósitos de Deus claramente definidos, não há base para fazer decisões corretas no seu namoro, noivado e casamento.

Quando jovem, também fui tentado a não me preocupar com o desenvolvimento de uma base espiritual firme. Já citei esta experiência no primeiro capítulo. Nunca posso esquecer a primeira vez que eu e minha namorada, que agora é minha esposa, Judith, saímos. Ela estava terminando a faculdade de enfermagem e morava no internato da escola. Fui para lá buscá-la. Meu coração batia tão descompassado que eu achei que ia saltar pela boca. Eu estava louco por Judith. Eu estava determinado a desenvolver um namoro com Judith dentro dos padrões da Palavra de Deus. Quando entramos no meu Chevrolet novo e enfiei a chave no contato, queria orar com ela antes de sair, mas tive medo que ela me achasse um fanático religioso. Por alguns segundos lutei comigo mesmo e, na última hora, virei para ela e disse: "Você não gostaria de orar comigo agora?" Ela olhou para mim com um sorriso lindo e disse: "Sim, quero". Foi preciso muita coragem para fazer isso, mas dou graças a Deus porque hoje, após tantos anos, é fácil orar com minha esposa. Até hoje posso lembrar a minha oração: "Querido Pai, queremos convidá-lo a participar conosco das nossas atividades. Queremos que tu sejas o centro do nosso namoro. Que nossos pensamentos, palavras e ações sejam dirigidos por ti. Queremos te agradar com o nosso relacionamento. Abençoa-nos, Senhor. Em nome de Jesus, amém".

Os momentos de oração, de compartilhar as maneiras com que Deus estava trabalhando nas nossas vidas, e a leitura da

Palavra de Deus, juntos, foram usados para nos dar forças nos momentos de tentação, especialmente no controle dos impulsos sexuais e no relacionamento físico no namoro. Não estou dizendo que o nosso namoro foi perfeito. Houve dificuldades, tentações e, às vezes, desentendimentos, mas a diferença era que tínhamos a Cristo como a pessoa mais importante no nosso relacionamento e a Palavra de Deus, como guia nas nossas decisões e atitudes.

Jovens, se vocês não oram no período do namoro e do noivado; se vocês não leem a Palavra juntos e procuram obedecê-la; se vocês não procuram ter uma conversa aberta e franca sobre suas vidas íntimas, sobre suas lutas e dificuldades, não pensem que, de repente, no primeiro dia do casamento, será automático orar; que será automático colocar a Bíblia como prioridade e organizar a vida conforme os princípios de Deus. Isso simplesmente não acontecerá. O período de namoro e noivado é muito importante para construir o alicerce de um casamento feliz.

Como mencionei no primeiro capítulo, creio que posso dizer sem errar que 75% dos casos de aconselhamento que tenho tido com casais casados, entre, mais ou menos, seis meses e quarenta anos, são problemas que se originam dentro do período de namoro ou noivado. Isto quer dizer que, se vivêssemos conforme os padrões de Deus para o namoro, estaríamos nos preparando para enfrentar as exigências de um casamento feliz.

Concluindo este capítulo, quero abordar algumas sugestões sobre como desenvolver os padrões de Deus no namoro:

1. No início do namoro, planejem atividades que envolvam participação em grupo. Isto vai ajudá-los a evitar situações e atividades que possam estimular seus impulsos sexuais. Em outras palavras, evitem longos períodos a sós.

2. Estabeleçam algumas regras de conduta no seu namoro ou noivado, que sejam coerentes com os princípios bíblicos. Por exemplo: manter linhas de comunicação bem abertas sobre carícias excessivas, sobre quando um dos dois estará sendo defraudado. Quando isso ocorrer, há necessidade de comunicar esse sentimento ao seu parceiro.

3. Já falei sobre a importância da oração no relacionamento. Às vezes, somente por alguns momentos, entregando certa atividade específica de suas vidas. Outras vezes, depois de uma conversa séria sobre uma dificuldade pela qual um ou outro está passando, será uma oração íntima e até com lágrimas. *Desenvolvam no ambiente e no namoro um espírito de louvor e oração.* Um dos maiores problemas dos jovens casais é a incapacidade de orar e chorar juntos e louvar o Senhor. Que casamento pobre quando não há este tipo de comunicação com o Pai do céu!

4. Procurem ter uma comunicação aberta. Um dos maiores problemas do casamento é a falta de comunicação ou a comunicação não aceitável, como, por exemplo, gritaria, paneladas na cabeça etc. Aprendam logo no início do namoro a manter a linha aberta entre vocês e entre vocês e o Senhor. Isso vai exigir disciplina e esforço.

Procurem resolver os problemas logo no início, sem deixar acumular encrencas e sentimentos de rancor contra o seu parceiro. Desenvolvam um espírito de perdão. Aprendam a fazer as pazes e a esquecer as ofensas um do outro.

Uma noiva cheia de orgulho disse-me o seguinte, algum tempo atrás: "Jaime, quero que você saiba que durante nosso namoro e noivado eu e o meu noivo nunca brigamos, nem discutimos". Eu olhei com aquele olhar de desconfiança: "Não tenho certeza", falei, "mas acho que seu relacionamento está necessitando de mais objetividade e honestidade. Todo relacionamento tem de passar por provações e tempos difíceis. Mas o amor verdadeiro usará a tribulação para que o relacionamento se torne mais profundo e comunicativo".

5. Procurem ler bons livros. Sugiro os seguintes: *Uma bênção chamada sexo*, de Robinson Cavalcanti; *Casei-me com você*; e *Amor, sentimento a ser aprendido*, de Walter Trobisch; *A família do cristão*, de Larry Christenson. Eles devem ser lidos juntos ou separadamente e discutidos no contexto do namoro. E tenho uma palavra de advertência aos jovens: durante o namoro, cuidado com as conversas íntimas sobre sexo. Isso pode levá-los a serem despertados sexualmente. Não há nenhuma dúvida em minha mente de que você quer um casamento feliz, dentro do padrão de Deus. No entanto, para que isto aconteça, você tem de começar a construir a sua casa na rocha que é Jesus Cristo e na Palavra de Deus. Decida em seu coração que você baseará seu namoro nos princípios e propósitos de Deus. Que Deus

o abençoe nesta decisão tão importante na sua vida!

Senhor Jesus, sabemos que se os nossos princípios e propósitos não estiverem claramente definidos, não teremos base para tomar decisões corretas quanto ao nosso namoro e casamento. Portanto, Senhor, queremos fazer da tua Palavra a regra de fé e procedimento. Queremos que tu participes do nosso namoro, das nossas atitudes, das nossas conversas, do nosso procedimento físico; enfim, Senhor, queremos um namoro cristão. Ajuda-nos a tomar o firme propósito de colocar a tua Palavra acima de tudo. Sabemos que o namoro dentro dos teus preceitos nos dará um alicerce firme para um casamento bem-sucedido. Amém!

Capítulo 4

Sexo... Por que esperar até o casamento?

Amados, visto que temos essas promessas, purifiquemo-nos de toda impureza do corpo e do espírito, aperfeiçoando a santidade no temor de Deus.
(2Coríntios 7:1)

Sem dúvida, o maior problema do jovem evangélico e, portanto, o que mais atrapalha a sua vida espiritual, é o namoro. Naturalmente isto não deveria ser assim, porque o jovem que namora dentro dos princípios e propósitos de Deus será muito abençoado. O maior problema dentro do namoro é o relacionamento físico. Como controlar as carícias no namoro? Quem deve controlar o relacionamento físico? Deve ser o rapaz ou a moça? É possível ter contato físico no namoro e ainda ficar dentro da vontade de Deus? E, se o contato físico é possível, quais são os limites de Deus nessa área?

Trabalhando com jovens, essas são algumas das muitas perguntas que recebo. Será que a Bíblia tem resposta para perguntas como estas? Será que Deus está interessado no meu namoro? Eu digo com toda a convicção que há resposta bíblica para essas perguntas e que Deus está muito interessado no namoro dos jovens cristãos.

A terceira decisão que o jovem crente deve tomar na sua vida é: "Eu não defraudarei no meu namoro". Em lTessalonicenses 4, o apóstolo Paulo trata do nosso relacionamento físico: *Quanto ao mais, irmãos, nós vos pedimos e aconselhamos no Senhor Jesus que, assim como aprendestes de nós como deveis vos comportar e agradar a Deus, e assim estais fazendo, nisso vos aperfeiçoeis cada vez mais. Pois sabeis o que vos ordenamos pelo Senhor Jesus. A vontade de Deus para vós e esta: a vossa santificação; por isso, afastai-vos da imoralidade sexual. Cada um de vós saiba manter o próprio corpo em santidade e honra,* não *na paixão dos desejos,* à semelhança dos *gentios que não conhecem a Deus. Nesse assunto ninguém iluda ou engane seu irmão, pois o Senhor* é vingador de *todas essas coisas, como já vos dissemos e testemunhamos. Porque Deus não nos chamou para a impureza, mas para a santificação. Portanto, quem rejeita isso não rejeita o homem, mas a Deus, que vos dá o seu Espírito Santo* (1Tessalonicenses 4:1-8).

Como é que devemos viver e agradar a Deus? Qual é a vontade de Deus? Conforme o versículo 3, é a nossa santificação. Isto quer dizer "pureza moral". É a separação dos padrões imorais da nossa sociedade e a aceitação do padrão de Deus. Paulo está dizendo que a vontade de Deus é que dediquemos a nossa vida a ele e que nos abstenhamos da prostituição. Quando nós pensamos em prostituição, geralmente pensamos naquela mulher da rua, vendendo o corpo pra que um homem possa ter alguns momentos de prazer. Mas Paulo não está falando especificamente da comercialização do sexo. A palavra usada aqui significa "imoralidade sexual", seja esta em pensamento, palavra ou ação.

Conforme pesquisa realizada entre a mocidade evangélica do Brasil, descobri que uma grande porcentagem dos jovens crentes até 21 anos de idade tiveram relação sexual com suas namoradas. Paulo está dizendo claramente que Deus quer que nós vivamos a nossa vida com pureza moral. Ele continua explicando, no versículo 4: *Cada um de vós saiba manter o próprio corpo* (a tradução antiga diz "*o seu vaso*", mas da língua original podemos deduzir que significa "*corpo*"). Alguns acham que a palavra "corpo" significa o corpo de sua esposa. Se significa o próprio corpo ou o corpo da sua esposa, é importante verificar que o jovem crente deve guardar puro o seu corpo até o dia do seu casamento, quando poderá desfrutar dos prazeres do ato conjugal.

Paulo está demandando pureza moral não somente para a mulher, mas também para o homem. Na sociedade brasileira não é somente aceitável, mas está totalmente dentro dos seus padrões, que o jovem tenha várias experiências sexuais antes do casamento. Em outras palavras, o homem pode "pular a cerca", mas a mulher, não. Muitos pais mandam seus filhos para a rua, quando atingem 14 anos de idade, dizendo: "Filho, está na hora de provar que você é homem".

Mas ter relação sexual com uma mulher – prostituta ou não – não prova nada a não ser que ele tem impulsos sexuais como qualquer outra pessoa. Não há um padrão duplo aqui. Quando o homem vem para o leito matrimonial, ele deve poder dizer para sua esposa, assim como a esposa para o marido: "Querido(a), tenho esperado por você e dou todo o meu amor exclusivamente para você!" Muitos jovens não podem fazer isso. Quando há intimidade sexual no período de namoro e noivado, a culpa por causa disso pode ter efeitos negativos no casamento e ser fonte de muita irritação e brigas.

Devemos saber como proceder no nosso comportamento na área física, seja no namoro ou em qualquer relacionamento na vida. Paulo continua falando no versículo 5: *não na paixão dos desejos.* Com isso, ele está simplesmente dizendo que esta é a maneira errada de um homem entrar no casamento. Os pagãos, nos dias de Paulo, conheciam deuses tão imorais quanto eles. Paulo descreve um homem totalmente entregue às suas paixões carnais. Os gentios ou pagãos, quando iam para o templo adorar seus deuses, literalmente tinham relações sexuais com as prostitutas do templo.

Quando Paulo fala *nesse assunto*, sobre que matéria está se referindo? Ele está falando do nosso relacionamento físico, e nos exorta a tomarmos cuidado porque podemos ofender e/ou defraudar nosso irmão. A palavra "defraudar" significa tirar vantagem sobre seu irmão. Há várias maneiras de defraudar, mas Paulo está especificamente se referindo a uma defraudação sexual. Defraudar significa exercitar ou despertar desejos sexuais na vida de outra pessoa, desejos que não podem ser satisfeitos dentro da vontade de Deus, que é o casamento.

A palavra "defraudar" também significa utilizar como se fosse sua a propriedade de outra pessoa. Jovem, seu(sua) namorado(a) ou noivo(a) não é sua propriedade. Ele(a) pertence ao Senhor. Portanto, promiscuidade antes do casamento representa roubar do outro a sua virgindade que deve ser levada para o casamento. Se você faz com que uma garota não seja mais virgem, você está roubando de outro homem, que um dia será marido dela, a sua virgindade. Isso significa "defraudar". Você diz: "Mas ela(e) vai ser minha esposa(marido)!" Como você tem certeza? E, mesmo tendo certeza, Deus disse que ele é contra este procedimento entre pessoas solteiras. Ele é vingador. Nós fomos chamados não para a impureza, mas para a novidade de vida.

Vamos ser ainda mais práticos. Um jovem chega pra mim e diz: "Jaime, até onde posso chegar no relacionamento físico com a minha garota?" Como vou responder a essa pergunta? Devo falar-lhe o seguinte: "Olha, você a beija três vezes no sábado, mas no domingo, que é dia do Senhor, uma só vez. Ou você pode despedir-se dela com um abraço de onze segundos e um beijo no rosto?" Obviamente tudo isso é bobagem. É tolice, porque cada jovem responde de maneira diferente às carícias de um homem ou de uma mulher. Não podemos estabelecer uma série de "regrinhas". Deus nos dá claramente o princípio que nos limita no nosso relacionamento físico: não defraude! Na hora em que você começa a exercitar desejos sexuais que são totalmente puros em si, você começa a defraudar. Não estou dizendo: não se toquem. Para alguns é só pegar na mão da menina ou do rapaz; para outros, é só poder beijar e abraçar na despedida. A regra é sempre: não interpretar os impulsos sexuais no namorado(a).

"Mas, Jaime", você diz, "como vou saber se estou defraudando ou não meu namorado?" Comunicação é a resposta! Ora, como dizia o gordo com a sua buzina: "Quem não se comunica se trumbica".[1] "Bem-aventurada a moça que tem a coragem de dizer 'não'!" Não há muitas moças que têm essa coragem de obedecer ao Senhor. Muitas moças têm falado para mim: "Mas, Jaime, eu preciso me entregar pelo menos um pouco para meu namorado; preciso deixá-lo 'brincar' um pouco, senão ele vai achar que eu sou fria e me largará que nem uma batata quente".

[1] Referência ao animador de programas de auditório "Chacrinha", que alcançou grande popularidade nos anos 1960 e 1970, na Rede Globo de Televisão, já falecido.

Mas isso não é verdade! Eu nunca esqueço uma experiência que tive com uma namorada chamada Eloísa. Ela era uma moça muito crente. Uma noite, depois de sairmos juntos, voltamos para sua casa por volta da meia-noite. Seus pais ainda não tinham chegado. Na porta da sua casa estava meio escuro. Percebendo a situação, eu tentei abraçá-la. Ela imediatamente me empurrou e disse: "Jaime, 2Timóteo!" Eu não sabia o que estava em 2Timóteo, mas meu orgulho ficou muito ferido. Saí de lá sem me despedir, deixando meio centímetro de pneu grudado na rua (claro que estou exagerando) e fui para casa superchateado.

Fui direto para a Bíblia, para ver o que essa menina "superespiritual" havia me dito: *Foge também das paixões da juventude...* (2Timóteo 2:22). Eu fiquei tão irritado que por duas semanas nem lhe telefonei. Mas vou lhe dizer uma coisa: lá no fundo do meu coração houve um grande respeito por ela, e um desejo ainda maior por tê-la como minha esposa, porque eu sabia que Eloísa era uma moça de caráter e convicções firmes. E mesmo sendo eu bem jovem sabia que era isso que eu queria.

Sim, precisa haver comunicação dos nossos sentimentos. Precisa haver coragem da parte dos dois de dizer: "Querido(a), vamos parar por aqui, senão vamos nos defraudar". Às vezes, vem a justificativa: "Sabe, Jaime, ele tem alguns hábitos maus, mas ninguém é perfeito". É verdade, ninguém é perfeito, e por essa razão precisamos estabelecer alvos físicos no nosso namoro. Devemos tomar medidas para nunca nos colocarmos numa situação em que podemos ser atingidos pela tentação que está além das nossas forças.

O mundo, a sociedade, acha que os crentes são muito quadrados. Mas o que o descrente acha não é tão importante quanto aquilo que Deus pensa; ele nos deu o seu padrão. Há muitas maneiras de um jovem defraudar. Às vezes, por meio de um olhar sensual, ou de uma roupa sensual que usa (ou não usa). Por exemplo: atualmente, certas peças íntimas da mulher são opcionais. Quando uma mulher vê uma propaganda de certo vestido e lê esta frase "Admita a transparência", ela começa a pensar que isso é parte da moda e ela não quer ser quadrada. Portanto, ela começa a se vestir de uma forma que se torna excitante para o rapaz, e isso pode defraudá-lo.

Muitas moças reclamam dizendo: "Por que eu preciso me vestir de tal maneira? Simplesmente porque o homem tem pensamentos maus?" E eu falo: "É verdade que o homem é despertado sexualmente pelo olhar". E Jesus disse que isso pode se tornar adultério. Mas para a moça que sabe que está provocando o rapaz isso também é pecado, porque ela não está demonstrando amor cristão. Em vez de usar seu corpo que pertence ao Senhor para a glória dele, ela o está usando para a própria glória, adorando à *criatura em lugar do Criador*.

No namoro, jovens são defraudados porque há contato físico constante e longos períodos de carícias e de expressões físicas. Isso precisa ser evitado. O relacionamento físico precisa ser dedicado ao Senhor. Quando a intimidade física se desenvolve antes da intimidade espiritual, uma nuvem de culpas aparece entre o casal e entre eles e o Senhor. Muitos casais que eu aconselho têm problemas gravíssimos no seu casamento porque não cuidaram do seu relacionamento físico, e agora há desconfiança, infidelidade, frustrações, brigas e sentimentos de culpa.

Jovens, eu sei que vocês querem um casamento feliz. Para que isso aconteça, tomem esta iniciativa com o seu parceiro: "Eu não defraudarei no meu namoro". Quando vocês, lá no altar, no dia do seu casamento, colocarem aquela linda e preciosa aliança no dedo da sua(seu) noiva(o), vocês estarão dizendo: "Querida(o), com esta aliança eu estou entregando a você todo o meu amor. Nenhuma outra pessoa neste mundo tem direito a este amor". Ela também é uma lembrança constante dos votos que vocês expressaram um ao outro, naquele dia tão importante nas suas vidas. Jovens, esperem no Senhor e vocês estarão também desenvolvendo um alicerce bem firme para sua família, para seu casamento.

Senhor Jesus, eu tenho sentimentos de culpa porque creio que no meu relacionamento físico no namoro tenho defraudado meu parceiro. Temos desenvolvido intimidades físicas sem nos preocuparmos muito em desenvolver a intimidade espiritual. Creio que isto tem nos prejudicado e, agora, portanto, eu quero confessar este pecado a ti. Prometo conversar com meu(minha) namorado(a) e pedir seu perdão.

Senhor, ajuda-nos a nos disciplinarmos nesta área e também a sermos honestos um para o outro, a respeito daquilo que nós sentimos. Protege-nos contra qualquer situação que possa ser usada pelo Diabo para nos tentar e estragar o relacionamento sadio que queremos desenvolver.

Senhor, queremos esperar até a noite do nosso casamento para podermos dizer um ao outro: 'Esta é a noite que nós temos esperado'. Tudo isso nós te pedimos em nome de Jesus. Amém!

Capítulo 5

O que os pais têm a ver com meu namoro?

> *Filhos, obedecei em tudo a vossos pais, porque isso é agradável ao Senhor.*
> (Colossenses 3:20)

Certa vez, uma moça me perguntou: "Jaime, será que devemos obedecer aos nossos pais em relação ao nosso namoro quando são injustos para conosco?" Um casal me contou a seguinte história: "Estamos namorando há quatro anos. Somos crentes em Jesus. Eu — disse o rapaz — sou filho de pastor. Há uns dois anos que estou brigando muito com meu pai. Já não tenho mais respeito por meus pais. Eles são totalmente contra o nosso namoro. O que devemos fazer?"

Perguntas desse gênero demonstram a confusão que existe quanto ao relacionamento que um jovem deve ter com seus pais. Creia ou não, a harmonia e a felicidade de seu futuro casamento dependem muito de sua capacidade de lidar com seus pais e irmãos em casa, e de sua disposição de se submeter à liderança que Deus instituiu em sua vida. Por isso, é muito importante tomar a seguinte decisão: **Precisamos estar em harmonia em nossos lares.**

Talvez você esteja se perguntando: Por que esta é uma decisão importante na minha vida de namoro? Basicamente porque Deus usa nossa família, nosso pai e mãe, os nossos irmãos e a nossa situação em casa, para nos moldar e para desenvolver em nós qualidades espirituais, preparando-nos para o nosso casamento.

Em Efésios capítulo 6, Paulo continua dando exortações sobre a família; nos versículos de 1 a 3 diz: *Filhos, sede obedientes a vossos pais no Senhor, pois isso é justo. Honra teu pai e tua mãe; este* é o primeiro mandamento com promessa, para que *vivas bem, e tenhas vida longa sobre a terra.*

Em Colossenses 3:20, ele diz: *Filhos, obedecei em tudo a vossos pais, porque isso é agradável ao Senhor.*

Deus quer que todo jovem aprenda uma lição básica que é saber viver debaixo da autoridade que ele estabeleceu. Romanos 13:1 nos diz que toda autoridade é instituída por Deus. Portanto, é extremamente importante para o seu futuro casamento que você aprenda a submeter sua vontade à liderança dos seus pais e, consequentemente, à liderança do Espírito Santo. Hebreus 5:8 nos diz que Jesus, *embora sendo Filho, aprendeu a obediência por meio das coisas que sofreu.* Aprender a viver em harmonia e paz com nossos pais e irmãos vai requerer sofrimento e até desentendimentos, mas isto é parte do plano de Deus para conformá-lo à imagem do seu Filho (Romanos 8:29).

Quantas vezes nós ouvimos esta reivindicação: "Mas eu tenho os meus direitos!" Uma coisa que nos ajudará no casamento será aprender como entregar nossos direitos ao Senhor. Em 1Pedro 2:22,23, o apóstolo diz o seguinte, referindo-se a

Jesus Cristo: *Ele* não cometeu pecado, nem *engano algum foi achado na sua boca; ao ser insultado, não retribuía o insulto, quando sofria, não ameaçava, mas entregava-se àquele que julga com justiça.*

Jesus, naquela hora de sofrimento, sendo maltratado e passando por grande humilhação, poderia ter exercido os seus direitos, chamando até 10 mil anjos para salvá-lo daquela situação agonizante. No entanto, ele entregou os seus direitos a seu Pai, que julga retamente.

Quantas vezes, dentro do nosso lar, somos tentados a exigir nossos direitos! Entretanto, é justamente dentro da nossa situação sofredora que Deus está querendo criar em nós um espírito de mansidão e humildade. Se nós não aprendemos enquanto jovens, dentro do nosso lar, aquilo que Deus quer nos ensinar, ele continuará trabalhando pacientemente conosco quando nos casarmos. Será bem mais difícil aprender as lições dentro do casamento.

Na minha casa éramos sete filhos. Eu tinha dois irmãos e quatro irmãs. Meu irmão mais velho morreu com seis anos de idade. Meu outro irmão era sete anos mais velho do que eu e eu cresci praticamente com minhas quatro irmãs. Agora, imaginem quatro irmãs e um só banheiro... Eu nunca tinha vez! Parecia que as minhas irmãs gastavam tanto tempo no banheiro de propósito, só para me irritar. Eu ficava louco da vida com elas. Não percebi que por meio daquela situação chata Deus queria desenvolver a qualidade de paciência na minha vida. Como eu não aprendi, e porque Deus me ama e está querendo formar Jesus Cristo em mim, ele continua trabalhando.

Prova disso é que ele me deu quatro mulheres: minha querida esposa, Judith, e minhas adoráveis filhas, Melinda,

Márcia, Annie e, de quebra, uma cachorrinha. Bem, ainda não aprendi a ser paciente, mas tenho observado algumas coisas. Se eu tivesse aprendido esta lição, quando jovem, teria sido bem mais fácil adaptar-me à minha vida conjugal.

Quando eu converso com jovens sobre a necessidade de viver em harmonia com seus pais, muitas vezes eles me dizem: "Mas Jaime, você não conhece o meu pai. Ele é um incrédulo, um fechadão, não tenho nenhum papo com ele!" ou "Você não conhece a minha mãe, ela é muito chata!" Naquela hora eu preciso responder: "Não estou dizendo que o seu pai é crente ou que sua mãe é fabulosa, mas o jeito com que você deve reagir aos seus pais, ou irmãos, numa situação difícil. Isso é importante. Não conheço os seus pais, mas conheço 'alguém' que conhece o coração dos seus pais e que tem os seus corações em sua mão".

Amigo, você tem na sua mão um instrumento poderoso que é a oração. Quando você começa a orar, Deus começa a agir e a mudar a situação. Então, ou ele muda o coração dos seus pais, ou muda o seu. Se não aprendermos a viver em harmonia no nosso lar, enquanto solteiros, sofreremos as consequências dentro do nosso casamento. A tendência do homem é tratar sua esposa como tratou sua mãe.

Agora, aqui vai uma dica para as moças: Observem a maneira com que seu namorado, ou noivo, trata a própria mãe. Ele é respondão, não demonstra respeito e desobedece? Quando vocês estão juntos, ele fala mal dela? Muito bem, aqui está uma dica importante para você: não se case com um homem assim! Espere até que ele aprenda a viver em harmonia com seus pais, tratando a sua mãe com honra e respeito, porque um dia ele, certamente, irá tratá-la da mesma maneira. Mas você diz: "Ah, Jaime, você não conhece o meu namorado... Ele é superlegal! Ele é tão carinhoso, tão atencioso. Ele nunca me trataria como trata a mãe dele. Aliás, você precisaria conhecer a mãe dele – uma chata! Meu namorado tem razão em não obedecer ou respeitá-la". Mas, moças, o que dizem as Escrituras? *Filhos, obedecei em tudo a vossos pais. Honra teu pai e tua mãe.* Este é o caminho para um casamento feliz.

Agora eu vou falar para os rapazes. Observem bem a maneira com que sua namorada ou noiva trata o pai dela. Ela é respondona? Ela fala mal do pai quando vocês estão juntos? Ela não liga para as ordens dele? Muito bem, se ela demonstra atitudes assim negativas, um dia ela vai agir com você da mesma maneira que age com o pai. Enquanto ela está na casa dos pais, o pai é a autoridade na vida dela; mas, uma vez casados, você se torna a autoridade sobre ela. Você diz: "Ah, Jaime, você precisa conhecer minha gata, uma loirinha de olhos azuis e um sorriso lindo... Ela é demais! É verdade que ela desobedece ao pai, mas também ele lhe dá cada ordem absurda! É verdade que ela não demonstra respeito por ele, mas, ele vive xingando a mãe dela!" Independentemente do comportamento dos pais, o jovem precisa lembrar que Deus está interessado no desenvolvimento de características que devem ser cultivadas justamente nesta situação difícil. Em Números 14:18 encontramos um princípio eterno de Deus. Deus nos diz o seguinte: *O Senhor é tardio em irar-se e grande em misericórdia; perdoa a culpa e a transgressão; ao culpado* não considera inocente, *mas castiga a culpa dos pais nos filhos até a terceira e quarta geração.*

As nossas fraquezas, a desobediência, os nossos pecados, serão transmitidos aos nossos filhos.

Conheço bem de perto uma família que ilustra perfeitamente estas palavras. A avó nunca aprendeu a ser submissa ao marido. Ela era uma pessoa agressiva e dominante. Suas duas filhas, não tendo o exemplo de uma mãe submissa, tiveram muitos problemas no casamento. Uma das filhas teve quatro filhas, das quais, três são divorciadas. Duas divorciaram-se uma única vez, e a terceira, duas vezes. Todas as três casaram-se de novo. As filhas delas também se divorciaram e uma simplesmente vive com outro homem sem ser casada. Outra foi mãe aos 14 anos, solteira, evidentemente. Para encobrir o fato, foi forçada a se casar com o pai da criança. Atualmente ela está separada do marido, abandonou o filho e vive com outro homem. Ou seja, esta é a quarta geração que está cometendo erros e sofrendo as consequências dos pecados das gerações anteriores.

Afinal, por que tanta tristeza e dor? Por que três destas quatro mulheres de uma só família se divorciaram? Creio que é um cumprimento da Palavra de Deus. Nenhuma dessas mulheres que eu mencionei teve a oportunidade de observar a mãe vivendo conforme os padrões de Deus. Portanto, o pecado da avó foi transmitido à filha que, por sua vez, o retransmitiu às netas.

Creio que o maior problema nessas famílias foi que as mulheres não aprenderam o seu papel, que é o da submissão. Como consequência, o casamento complicou-se a tal ponto que houve o divórcio. Não estou dizendo que os maridos dessas mulheres foram todos "anjos". Pelo contrário, muitos deles desobedeceram à Palavra porque receberam dos seus pais uma imagem errada de marido e pai. Mas creio que, se essas mulheres tivessem vivido conforme as exortações do apóstolo em 1Pedro 3:1-6 – em que Pedro dá instruções às mulheres em como ganhar seus maridos desobedientes –, a situação teria sido diferente.

A melhor coisa que uma mãe pode dar como herança às suas filhas é ser submissa ao pai delas, e a melhor herança que um pai pode dar aos seus filhos é amar a mãe deles. Como é importante aprender os princípios e propósitos de Deus para com a família e, pela graça de Deus e força do Espírito Santo, colocá-los em prática!

Jovem, se você percebe que há um espírito de rebeldia ou desobediência na vida do seu parceiro, espere no Senhor; converse com ele sobre este espírito, orem juntos e tenham paciência até que ele possa viver em harmonia com seus pais e irmãos e em submissão à obra do Espírito Santo. Se você não puder esperar e for casar mesmo assim, tenha certeza que Deus ama você. O propósito dele é que você tenha a imagem de Jesus Cristo. Assim sendo, ele vai continuar trabalhando em você, mas será bem mais difícil e, em alguns casos, a tempestade será grande demais e o casamento poderá naufragar. Esta harmonia só pode ser desenvolvida entre duas pessoas que têm Jesus Cristo como Salvador e Senhor, e que estão constantemente submetendo a sua vontade, decisões e procedimento à liderança do Espírito de Deus. O desafio de aprender a obedecer a autoridades e viver em harmonia é um dos maiores e um dos mais importantes para um casamento feliz.

Senhor, falando honestamente, porque sei que tu me conheces e não posso esconder coisa nenhuma do teu olhar, confesso que tenho demonstrado um espírito de rebeldia no meu lar, especialmente no relacionamento com meus pais. Não tenho entendido o que tu queres fazer na minha vida por meio da situação difícil na minha família. Mas, Senhor, agora eu me submeto à obra do Espírito Santo em mim e peço que tu me dês a capacidade de reagir positivamente aos meus pais e irmãos e cooperar contigo no desenvolvimento de qualidades espirituais. Em nome de Jesus eu peço estas coisas. Amém!

Capítulo 6

Sexo do ponto de vista de Deus

Pois tu formaste o meu interior, tu me teceste no ventre de minha mãe. Eu te louvarei, pois fui formado de modo tão admirável e maravilhoso! Tuas obras são maravilhosas, tenho plena certeza disso! Meus ossos não te estavam ocultos, quando em segredo fui formado e tecido com esmero nas profundezas da terra. Teus olhos viram a minha substância ainda sem forma, e no teu livro os dias foram escritos, sim, todos os dias que me foram ordenados, quando nem um deles ainda havia ainda.
(Salmos 139:13-16)

Numa pesquisa realizada com jovens evangélicos entre 16 e 23 anos de idade, constatei que cerca de 15% de seu conhecimento sexual provêm de seus lares ou igrejas. Isto quer dizer que cerca de 85% de tudo que o jovem sabe sobre sexo ele aprendeu na escola ou em conversas com colegas, ouvindo piadas e histórias sujas, por meio de filmes, revistas etc... Certamente, muitas dessas fontes de informação não têm base bíblica e são orientações a partir do ponto de vista da sociedade. Por isso, há uma necessidade urgente de os pais cristãos desenvolverem uma filosofia cristã sobre sexo, e esforçarem-se para orientar os seus filhos quanto à sexualidade e o plano de Deus para seu relacionamento físico.

Hoje vivemos numa sociedade permeada pelo sexo. Os meios de comunicação estão entupidos de mensagens alusivas ao sexo ou a relações sexuais. No dia 24 de outubro de 1980, a "Folha de São Paulo" publicou matéria intitulada "Liberados na TV os filmes para adultos". O artigo diz:

> *O nu está liberado para a televisão, a partir das 23h30, conforme norma adotada ontem pelo Conselho Superior de Censura. De acordo com o órgão, tanto a nudez como os atos de amor humano não constituem motivo de impedimento a espetáculos de televisão, nos horários da última faixa etária, a menor que atinjam níveis de lascívia...*

Isso é um exemplo que prova que vivemos numa sociedade saturada pelo sexo.

Recentemente recortei de uma revista para jovens esta letra de uma música bastante popular. É "Momentos", de Joanna e Sarah Benchimol. Ela diz:

> *Vou te caçar na cama sem segredos,*
> *E saciar a sede do desejo,*

Deixar o teu cabelo em desalinho,
E me afogar de vez em teu carinho.
Quero ficar assim por toda a noite
A copiar teus traços lentamente,
Deixar pousar meu beijo no teu corpo,
Deixar que o amor se faça mansamente.
Vem ficar comigo no abandono desse abraço
E adormece no meu colo o teu cansaço,
Que é tão difícil um momento para nós dois.
Vem, e traz contigo esta paz tão esperada
Faz desta noite uma eterna madrugada
E só desperta quando a vida adormecer.

Os jovens estão sendo bombardeados com sexo por meio de todos os meios de comunicação. Os comerciais na TV enfatizam o sexo nas suas propagandas, bem como nas revistas, jornais e livros. É difícil para um jovem crente viver numa sociedade assim, sem se contaminar com as suas atitudes. Diante de tal ataque, jovens crentes ficam confusos quanto a como reagir e como saber qual é a vontade de Deus para eles. Eles fazem perguntas como: "O sexo é sujo e só deve ser usado para gerar filhos?", "Não é a relação sexual pré-marital justificável, se ela vai me ajudar a entender como meu namorado se sente em relação a mim?" Às vezes, jovens noivos me perguntam: "Jaime, nós vamos casar logo, não seria bom ter relação sexual para aprendermos como amar melhor no casamento?" Jovens namorados raciocinam do seguinte modo: "A relação sexual no namoro é importante porque por essa intimidade você pode descobrir se tem ou não compatibilidade".

Alguns jovens acham que é errado ter relação sexual pré-conjugal, mas não veem nenhuma razão para não desenvolver certa intimidade física, e até mesmo levar seu parceiro a um clímax sexual. Outros acham que podem "fantasiar" com seu namorado ou sua namorada. E a masturbação, é prejudicial? Ela vai contra a Palavra de Deus?

Estas – e centenas de outras dúvidas – estão na mente do jovem adolescente. Há uma resposta de Deus para tais dúvidas? Será que Deus nos deixou sem uma orientação sadia a respeito desta área tão importante na vida das pessoas? Quero responder a essa pergunta de maneira categórica: "Sim! A Bíblia tem muito a dizer sobre sexo! Ela não é um manual de sexo, mas quando fala do assunto podemos ter a certeza de que ela é atual e relevante". Quando Deus criou o homem e a mulher, macho e fêmea, o registro de Gênesis diz: *e era muito bom...* (Gênesis 1:31). Conforme o desígnio e a sabedoria de Deus, a nossa sexualidade foi estabelecida para a procriação da raça humana no contexto do relacionamento do casamento. A Palavra de Deus nos dá a melhor perspectiva sobre o sexo. Não é uma perspectiva distorcida e negativa como a filosofia puritana, nem como a "nova moralidade" que deixa de lado o padrão de Deus sobre moralidade e sugere uma "liberdade" completa na expressão dos desejos sexuais. Deus nos criou seres sexuais para o bem-estar do homem e da mulher, e é seu propósito que entendamos o plano dele para a nossa vida. Em Gênesis 2, nós lemos sobre o primeiro casamento, o de Adão e Eva. No versículo 24, as Escrituras descrevem este casamento, usando duas palavras importantíssimas:

Portanto, o homem deixará seu pai e sua mãe e se unirá à sua mulher, *e eles serão uma só carne.*

A primeira palavra é "deixará". O homem deixa, emocionalmente, de ser filho e se torna marido. Da mesma forma, a mulher deixa, emocionalmente, de ser filha e assume o papel de esposa. Quando não há este "abandono" emocional, há problemas no casamento, especialmente relacionados com os sogros. A segunda palavra é "unirá". No hebraico, "unir" significa "cimentar". Sabe, jovem? O plano original de Deus é que duas pessoas casadas expressem o seu amor mútuo e desfrutem dele por meio do ato sexual. O plano de Deus não é separação ou divórcio. O relacionamento é para sempre, até que a morte os separe. Foi isso que Jesus Cristo quis deixar claro em Mateus 19, quando alguns fariseus vieram a ele e o experimentaram, perguntando:

É permitido ao homem divorciar-se de sua mulher por qualquer motivo? Naquela ocasião, Jesus respondeu:

"Não lestes que desde o princípio o Criador os fez homem e mulher...?

E depois ele citou a passagem de Gênesis 2:

Por isso o homem deixará pai e mãe e se unirá à *sua mulher; e serão os dois uma só carne? Assim, não são mais dois, mas uma só carne. Portanto, o que Deus uniu o homem* não separe.

Os fariseus não ficaram satisfeitos com a resposta, e perguntaram a Jesus:

Então, por que Moisés mandou dar-lhe documento de divórcio e mandá-la embora?

Jesus respondeu:

Foi por causa da dureza do vosso coração que Moisés vos permitiu divorciar-vos da vossa mulher; mas não foi assim desde o princípio.

No plano original e perfeito de Deus, a separação só era permitida pela morte. Deus permitiu o divórcio por causa da dureza dos corações do povo de Israel, mas esse não é o seu plano original e perfeito. Somente o noivo e a noiva que "deixaram" e "se uniram", tornando-se uma só carne, realmente podem desfrutar, dentro do plano de Deus, do relacionamento sexual. Em Gênesis 2:25 nós lemos:

E os dois estavam nus, o homem e sua mulher; e não se envergonhavam.

Aqui se trata de um período de inocência. Não havia pecado no mundo. O homem andava em perfeita comunhão com Deus e um com o outro. Não havia nenhum embaraçamento ou vergonha no relacionamento físico. Mas, quando entrou o pecado no mundo, o primeiro resultado aparece em Gênesis 3:7:

Então os olhos dos dois foram abertos e ficaram sabendo que estavam nus; por isso, entrelaçaram folhas de figueira e fizeram para si aventais.

Aqui está uma percepção distorcida. O pecado anuviou a capacidade de o homem ver Deus como ele é, bem como, ao seu próximo e a si mesmo. Por isso ele, agora, encara a sua sexualidade de maneira diferente. Quando Adão e Eva ouviram a voz do Senhor Deus, procurando o homem no jardim, por volta do meio-dia, esconderam-se da presença do Senhor, e o Senhor perguntou: *Onde estás?* O homem respondeu: *Ouvi a tua voz no jardim e tive medo, porque estava nu; por isso me escondi*. Aqui temos o primeiro registro de medo na Bíblia. Medo do quê? Medo da nudez. Medo porque ele desobedeceu ao Senhor. Deus, então, pergunta ao homem: *Quem te mostrou que estavas nu?* Desde aquele dia, o sexo tem sido deturpado pela pecaminosidade do homem. Deus criou o sexo puro, uma expressão linda do relacionamento conjugal. Mas o homem – pecador e corrupto – arrastou uma coisa linda que Deus criou para a lama dos seus pensamentos e prazeres. Somente quando estudamos a Bíblia é que podemos ter um ponto de vista divino e voltar a desfrutar desta parte da criação de Deus.

Observações sobre o sexo no casamento

Primeira observação: o sexo é restrito ao relacionamento do casamento

Eu não posso ser enfático demais neste ponto, porque o jovem crente está sendo bombardeado diariamente por ideias que parecem bonitas e lógicas a respeito do sexo pré-conjugal.

Em pesquisa recentemente realizada pelo IBGE, entre jovens e idade escolar 13 a 15 anos (de ambos os sexos), nós descobrimos como o Diabo tem saturado as mentes dos jovens de hoje. Por exemplo, em resposta à pergunta: "Você já teve relações sexuais?", 43,7% dos homens e 18,7% das mulheres responderam: "sim". Este é um fato alarmante[2]. E se a faixa etária for aumentada os números são piores. Segundo a revista Manchete entre os 16 e 22 anos 91% dos homens e 35% responderam que sim a esta pergunta.

A revista Manchete fez outra pergunta: "Para você, sexo é uma coisa natural que pode acontecer entre duas pessoas a qualquer momento?" A esta pergunta, 53% dos homens e 35% das mulheres responderam afirmativamente. Mas a pergunta mais assustadora da pesquisa foi a de nº 15: "Você é a favor do amor livre?" A ela, 80% dos homens e 71% das

[2] http://saladeimprensa.ibge.gov.br/noticias?view=noticia&id=1&busca=1&idnoticia=1525 Acessado em 14 de abril de 2013.

mulheres responderam "sim". Interessante essa expressão: "amor livre". De fato é uma contradição, pois o amor nunca é livre. E se for livre não é amor.

Amor exige compromisso, promessa e fidelidade. Essas qualidades estão se desvanecendo na nossa sociedade. Os casais, no altar das igrejas, fazem promessas que nunca pretendem cumprir. Talvez você esteja dizendo: "Mas, Jaime, esta pesquisa foi realizada principalmente entre incrédulos". Eu respondo: "É verdade, mas tenho verificado que muitas das atitudes e procedimentos do jovem incrédulo têm sutilmente entrado na igreja e, pouco a pouco, estão tomando conta dos jovens crentes".

Jovem, quando lá no altar você for colocar aquela linda aliança no dedo de seu(sua) noivo(a), você primeiramente estará dizendo: "Querido(a), com esta aliança eu lhe dou todo o meu amor. Eu prometo ser fiel, e você será a única pessoa que terá o meu amor".

A aliança é também um símbolo, uma lembrança constante dos votos que vocês fizeram perante o Senhor e sua igreja. A Palavra de Deus é clara em mostrar isso, em passagens como:

> Hebreus 13:4: *Sejam honrados entre todos o matrimônio e a pureza do leito conjugal; pois Deus julgará os imortais e adúlteros.*

> 1Tessalonicenses 4:3-7: *A vontade de Deus para vós é esta: a vossa santificação; por isso, afastai-vos da imoralidade sexual. Cada um de vós saiba manter o próprio corpo em santidade e honra, não na paixão dos desejos, à semelhança dos gentios que não conhecem a Deus. Nesse assunto ninguém iluda ou*

engane seu irmão, pois o Senhor é vingador de todas essas coisas, como já vos dissemos e testemunhamos. Porque Deus não nos chamou para a impureza, mas para a santificação.

1Coríntios 7:1-5: *Agora, quanto às coisas sobre as quais escrevestes, ou seja, que é bom que o homem não tenha relações com mulher. Por causa da imoralidade, cada homem tenha sua mulher, e cada mulher, seu marido. O marido cumpra a sua responsabilidade conjugal para com sua mulher, e do mesmo modo a mulher para com o marido. A mulher não tem autoridade sobre o próprio corpo, mas sim o marido. Também, da mesma forma, o marido não tem autoridade sobre o próprio corpo, mas sim a mulher. Não vos negueis um ao outro, a não ser de comum acordo por algum tempo, a fim de vos consagrardes à oração. Depois, uni-vos de novo, para que Satanás não vos tente por causa da vossa falta de controle.*

Portanto, o sexo, deve ser desfrutado somente por aqueles que "deixaram", "se uniram" e "se tornaram uma só carne". Qualquer outro procedimento é simplesmente uma paixão carnal que Deus nunca poderá abençoar. A prática do sexo fora do casamento só trará encrencas, desconfiança, frustrações e infidelidade no casamento. Uma universitária chegou para mim, depois de uma das minhas aulas para um grupo de jovens em São Paulo, e disse: "Sabe Jaime, eu acho que Deus é um "quadradão" porque ele proíbe justamente a maior delícia da vida humana. Por que ele nos criou assim, se ele não quer que desfrutemos disso?" Eu lhe respondi:

"Não concordo com você. O fato de Deus nos ter dado a capacidade de sentir prazer sexual já demonstra que ele é um Deus que gosta de dar coisas boas para os seus filhos. Porém, há limites estabelecidos por ele, para que esse dom possa ser desfrutado da melhor maneira possível!"

Um dia eu estava andando na calçada com minha filha Melinda. Naquela época, ela tinha aproximadamente quatro anos. Passamos diante de uma vitrina em que motocicletas estavam expostas. Seu olho caiu sobre uma motocicleta pequena. Ela a queria de todo jeito, pensando que tinha capacidade de dirigir aquela máquina. Ela subiu na moto e seus pés nem tocaram no freio. Eu, como pai, sabia que aquilo não era bom para ela e lhe disse: "Querida, quem sabe um dia você poderá dirigir uma motocicleta? Mas papai acha que você deve esperar".

O nosso Pai do céu estabelece limites em todas as áreas da nossa vida, não porque ele seja um "quadradão", mas porque ele nos ama e sabe o que é melhor para o nosso bem. Jovem, você está sendo tentado de todos os lados a viver o seu namoro de acordo com os padrões da sociedade. Esses padrões, porém, somente produzem um relacionamento de conflito. Quando desenvolvemos no namoro e no noivado uma unidade espiritual e emocional, e esperamos para desenvolver a unidade física no casamento, estamos caminhando para um relacionamento de liberdade.

SEGUNDA OBSERVAÇÃO: O SEXO NO CASAMENTO É DESTINADO A GERAR FILHOS

A Palavra de Deus nos diz em Gênesis 1:28: *Então Deus os abençoou e lhes disse: Frutificai e multiplicai-vos; enchei a terra e sujeitai-a...*

Obviamente, um dos propósitos principais da nossa sexualidade é poder gerar filhos e, portanto, obedecer à ordem de Deus de multiplicação. O homem, sem dúvida, obedeceu a esta ordem, talvez, melhor do que qualquer outro mandamento de Deus. O nosso mundo está caminhando para 6 bilhões de habitantes. Sem entrar no assunto do planejamento familiar e do uso ou não de anticoncepcionais, eu gostaria de lembrar que a Palavra de Deus nos diz que: *Os filhos são herança do SENHOR, e o fruto do ventre* é a sua recompensa. *Como flechas na mão de um guerreiro, assim são os filhos da mocidade. Bem-aventurado o homem que com eles enche sua aljava...* (Salmos 127:3-5).

Uma aljava cheia continha pelo menos cinco flechas. Isto naturalmente não quer dizer que não se pode ser abençoado com um ou dois filhos. Mas é importante frisar, no mundo tão egoísta em que vivemos, que os filhos são uma bênção para qualquer família.

TERCEIRA OBSERVAÇÃO: O SEXO NO CASAMENTO É COMUNICATIVO

No relacionamento entre marido e mulher, o ato conjugal foi designado por Deus para providenciar um meio de expressar a profunda unidade entre o casal. Há uma comunhão de espírito quando há a união dos corpos. Isto pode explicar por que, em Gênesis 4:1, o Espírito Santo achou por bem usar a palavra "conheceu". O termo "conheceu" é a melhor maneira de expressar o ato conjugal. É a intimidade proveniente da experiência de tornar-se "uma só carne". No plano de Deus, o sexo foi designado para providenciar uma revelação total do amado.

Quando o casal dá de suas energias, seus sentimentos e afeições, num relacionamento físico, marido e mulher experimentam uma comunicação íntima. Esse é o meio de "conhecer" um ao outro. Cada vez que um casal, comprometido pelo amor conjugal, tem uma relação física, está celebrando a experiência de "uma só carne".

As implicações práticas dessa experiência são muitas, porque o ato conjugal não é somente um ato físico, mas também emocional e espiritual. Tenho conversado com casais que me dizem: "Jaime, quando nós temos este relacionamento, nós nos sentimos mais perto do Senhor do que em qualquer outra hora do casamento".

A ideia que prevalece nos meios evangélicos é a de que o sexo é carnal e não pode ser considerado um exercício espiritual. Mas as Escrituras nunca estabelecem tais categorias na vida cristã. Agora, há o perigo de pensarmos que o casal precisa se comunicar apenas nesta área da vida. A comunicação é tremendamente importante no seu casamento e, certamente, o ato sexual é uma pequena parte do todo.

Quarta observação: a nossa sexualidade não visa somente a gerar filhos e providenciar um meio de comunicação, mas também proporcionar prazer conjugal

Uma moça que estava tendo algumas dificuldades no seu relacionamento com o noivo contou-me a seguinte história: "Jaime, a minha mãe me ensinou, quando eu era garota, que o sexo é sujo e deve ser usado apenas para gerar filhos, e que, para a mulher casada, é 'uma cruz' que ela precisa carregar durante os anos do casamento. Filha, aguente firme; leve sua cruz, e Deus lhe dará forças".

Não é de admirar que esta moça estivesse encrencada com o noivo. Ele cria que o sexo não é sujo e que uma de suas funções também é proporcionar prazer e bem-estar, tanto para o marido quanto para a esposa. Ela então perguntou: "Jaime, a Bíblia tem alguma coisa a dizer sobre isso? Existe a possibilidade dentro do plano de Deus de desfrutar do sexo sem o intuito de procriação?" Eu falei: "Sim, a Bíblia é abundantemente clara ao dizer que Deus designou o sexo para ser também um meio de prazer".

Os autores da Bíblia, às vezes usando uma linguagem poé-tica, descrevem os órgãos genitais, os impulsos, energias e desejos sexuais. Uma ilustração deste fato encontramos em Provérbios 5, em que o grande sábio Salomão exorta seu filho sobre os perigos da mulher adúltera e exalta as delicias da expressão sexual com a esposa.

Nos versículos 1 e 2, Salomão chama a atenção do filho, porque a instrução que tem para dar é fundamental para sua vida de casado: *Meu filho, atenta para a minha sabedoria; inclina os ouvidos às minhas palavras de discernimento, para que conserves o bom senso e os teus lábios guardem o conhecimento.*

Nos versículos 3 a 6 ele descreve a mulher adúltera ou prostituta: *Porque os lábios da mulher imoral destilam mel, e sua boca é mais suave que o azeite; mas no final* é *amarga como o absinto, afiada como a espada de dois gumes. Seus pés descem à morte; seus passos levam para o caminho da sepultura. Ela não presta atenção à vereda da vida; seus caminhos* são incertos, *e ela desconhece isso.*

Nos versículos 7 a 14 ele exorta o filho quanto aos perigos de uma vida de promiscuidade: *Agora, filho, presta atenção e não te desvies das palavras da minha boca. Fica longe dela e não te aproximes da porta da sua casa; para que não entregues tua força aos outros, nem teus anos a gente cruel; para que estranhos não se fartem dos teus bens, nem teu esforço seja entregue ao estrangeiro, e, no fim da vida, quando a tua carne e o teu corpo se consumirem, venhas a gemer e dizer: Como detestei a disciplina! Como meu coração desprezou a repreensão!* Não *dei atenção aos que me ensinavam, nem inclinei o ouvido aos que me instruíam! Quase cheguei à ruína completa, diante da congregação e da assembleia.*

Cuidado! *Fica longe* [da mulher adúltera] e não te aproximes *da porta da sua casa.* Jovem, que mensagem atual! Qual é o caminho da mulher adúltera? Em que esquina está ela seduzindo os homens que passam? Em que praça? Em que casa? Salomão diz: *Fica longe dela* [...] *para que não entregues tua força aos outros, nem teus anos a gente cruel.* E Salomão continua: Filho, obedece às minhas palavras, para que, *no fim da vida, quando a tua carne e o teu corpo se consumirem venhas a gemer...* — e aqui o grande sábio se refere a doenças venéreas — *... e dizer: Como detestei disciplina!*

Quantos jovens olham para trás e gostariam de apagar essas experiências amargas da vida! O pai fala tudo isso a seu filho para que ele possa contrastar este procedimento com as delicias e prazeres da relação física no plano de Deus. No versículo 15, Salomão usa as expressões "cisterna" e "poço". A "cisterna" era um depósito onde se podia matar a sede com as águas cristalinas do poço. Salomão exorta o seu filho a beber da própria cisterna e das correntes do seu poço, ou seja, satisfazer-se com a sua esposa. Deus está dizendo que o prazer sexual se encontra na própria casa, com o próprio marido e esposa. As forças sexuais não podem ser espalhadas desordenadamente pelas ruas e praças da cidade.

Sejam somente para ti, a Palavra de Deus nos diz (v. 17). Ele não deve abraçar a adúltera, mas sim a sua esposa.

Que teu manancial seja bendito. Alegra-te com a esposa que tens desde a mocidade (v. 18).

Essa é uma expressão de alegria, gozo e prazer. Certamente não se refere a "uma cruz" que a mulher tem de carregar, algo que ela tem de aguentar. Salomão usa até animais bonitos – *corça amorosa e gazela graciosa* – para descrever uma experiência de alegria e profunda satisfação.

... que os seios de tua esposa sempre te saciem e que sintas sempre embriagado pelo seu amor (v. 19). A palavra "embriagar" tem a ideia de ficar intoxicado ou extasiado. A ideia principal é que a pessoa fica envolvida neste ato, sendo transportada com encanto no amor do cônjuge. Você será transportado, banhado e embrulhado no amor do seu cônjuge. E o êxtase de um no braço do outro não é nada mais nada menos do que uma expressão de prazer, gozo e alegria.

Agora, vamos voltar à noiva que falou comigo. Eu quero que você saiba que, por causa daquela conversa, ela recebeu uma nova perspectiva sobre o sexo. Hoje, ela e seu marido desfrutam de um relacionamento físico bem ajustado. Eles têm um lar muito feliz, juntamente com seus dois lindos filhos.

O livro Cântico dos Cânticos é uma expressão do amor físico de duas pessoas que se amam muito. Sim, a nossa sexualidade também foi criada para o prazer e alegria do casal. É importante que o casal desenvolva uma mentalidade saudável sobre este setor tão importante da vida.

Quinta observação: o sexo no casamento é uma experiência de dar

O amor "eros" é o amor sexual no casamento. Isso é importante, mas esse tipo de amor precisa ser permeado pelo amor "ágape", que é o amor de Deus. O amor de Deus se manifesta em dar: *Porque Deus amou tanto o mundo, que deu...* (João 3:16).

A principal característica do amor, portanto, é que ele dá. É a mesma palavra que encontramos em Efésios 5:25. Paulo, falando aos maridos diz: *Maridos, cada um de vós ame a sua mulher, assim como Cristo amou a igreja e a si mesmo se entregou por ela.*

Quando o relacionamento é governado pelo amor "ágape", qualquer problema no relacionamento físico é superado.

Em 1Coríntios 7, o apóstolo Paulo precisava tratar de um problema de impureza sexual dentro da igreja de Corinto. Precisamos lembrar que os crentes de Corinto foram convertidos de um paganismo que exaltava sobremodo o sexo e incluía a prática de relações sexuais dentro dos próprios cultos de adoração aos deuses. Chegou a haver mais de mil prostitutas-profetisas. Elas eram usadas no templo de Corinto dedicado à deusa Afrodite. Corinto era uma cidade extremamente pecaminosa e tinha a reputação de praticar excessos sexuais e toda espécie de imoralidade.

Paulo nos diz em 1Coríntios 6:9-11 que os crentes convertidos tinham sido fornicadores, adúlteros, idólatras, homossexuais etc. Não é difícil entender por que Paulo precisou exortar e instruir várias vezes a igreja de Corinto sobre a prática da pureza moral. Por esta razão Paulo, falando do relacionamento físico, exorta em 1Coríntios 7:5: *Não vos negueis um ao outro.*

Não há lugar para o egoísmo no relacionamento físico no casamento. Esta ordem é especialmente importante quando há tantas tentações para se adulterar na nossa sociedade. Satanás procura causar encrencas e dificuldades no relacionamento físico para aumentar a tentação que levará para alguma espécie de promiscuidade.

No versículo 1, Paulo está reconhecendo que a igreja de Corinto havia escrito uma carta, pedindo orientação a respeito do relacionamento físico. Ele reconhece também a tentação na área de imoralidade sexual. Ele está admitindo que o marido e a esposa têm necessidades sexuais e emocionais que devem ser satisfeitas no relacionamento do casamento: *Por causa da imoralidade, cada homem tenha sua mulher, e cada mulher, seu marido* (v. 2).

No versículo 7, Paulo expressa um desejo: que todos os homens sejam tais com ele. Paulo era viúvo, ou solteiro, mas ele sabia que, na prática, isso não seria possível, por que os impulsos sexuais do homem são tão fortes que não permitem que ele fique solteiro. Por isso ele diz no versículo 9: *Mas, se não conseguirem dominar-se, que se casem. Porque é melhor casar do que arder de paixão.* Por causa da dinâmica biológica do homem, há necessidade de alívio sexual. A mulher não tem os mesmos impulsos sexuais que o homem. Isso não quer dizer que ela não seja sexual. Ela é tão sexual quanto o homem. Embora não tenha os mesmos impulsos do homem por causa da sua dinâmica biológica, ela também tem necessidades físicas e emocionais.

No versículo 3, o apóstolo primeiramente exorta o marido a conceder à sua esposa o que lhe é devido. É uma dívida que o marido tem para com sua esposa. Na nossa sociedade, temos a ideia de que a mulher foi "criada para o homem". Em certo sentido, isso é verdade. Mas nunca se deve pensar que a mulher foi criada para ser um instrumento de prazer ou um brinquedo para a satisfação do homem. A Bíblia nunca apresenta tal quadro; e Paulo, muito justamente, fala primeiramente aos maridos e depois às esposas. Paulo sabia muito bem que há tensões e impulsos sexuais que devem ser aliviados dentro do relacionamento conjugal.

No versículo 4, Paulo novamente está tomando o cuidado de expressar igualdade:

> *A mulher não tem autoridade sobre o próprio corpo, mas sim o marido. Também, da mesma forma, o marido não tem autoridade sobre o próprio corpo, mas sim a mulher.*

Basicamente o que Paulo está dizendo neste versículo é que cada parte é responsável em colocar como prioridade as necessidades sexuais do outro. Em outras palavras, o corpo da mulher pertence ao marido, e o corpo do marido pertence à esposa. A palavra "autoridade" no versículo 4 poderia ser traduzida por "poder". Para que isso aconteça, não pode existir simplesmente amor "eros", mas, sim, amor "ágape". Este amor é paciente, é benigno, não arde em ciúmes, não se conduz inconvenientemente, não procura os seus interesses, tudo sofre, tudo crê, tudo espera e tudo suporta.

Muitos cônjuges usam o sexo como uma arma para conseguir outras coisas no casamento. Por isso, Paulo diz: *Não vos negueis um ao outro...*

E termina dizendo: ... *para que Satanás não vos tente por causa da vossa falta de controle.*

Quantas vezes o Diabo consegue vitórias na vida de um casal por desobediência a esta ordem bem simples de Paulo!

Também quero dizer que há uma necessidade de autocontrole, especialmente por parte do marido, em pelo menos três situações da vida conjugal:

1. O período um pouco antes e depois do nascimento de um filho;

2. O período menstrual da esposa;

3. Em caso de algum problema fisiológico da esposa que, então, deve ser tratado e resolvido por um médico de confiança.

No versículo 5, Paulo nos dá uma exceção, além daquelas que acabei de apresentar. Vamos imaginar que você está casado e, no domingo à noite, você ouviu uma mensagem desafiadora do seu pastor sobre a necessidade de uma vida intensa de oração. Você se sentiu tocado. Chega a casa e fala para o seu marido ou esposa: "Querido(a), vamos jejuar por um mês na área sexual do nosso casamento para que eu possa dedicar-me intensamente ao exercício espiritual da oração". Paulo está dizendo: "Você não pode tomar uma decisão assim". Ele diz: *de comum acordo.* Isso significa a convicção que os dois têm e a concordância completa quanto à necessidade de cessar a atividade sexual por algum tempo com um propósito espiritual, que é a oração.

Certo marido falou comigo: "Pr. Jaime, eu estou enfrentando dificuldades com a minha esposa nesta área da minha vida. Quando ela percebe que eu quero ter relação sexual, ela arranja qualquer desculpa: dor de cabeça, preocupações, dores menstruais etc. Ela me diz: "Querido, eu sinto que preciso ler a Bíblia e orar. Pode ir para a cama, que eu vou mais tarde". O amor é sensível às necessidades do parceiro.

Esposas têm me falado, referindo-se a esta área da vida conjugal: "Pr. Jaime, ele me pega, me usa e me joga". Muitas esposas têm encarado o ato sexual como uma "cruz". Às vezes, por questão de ignorância por parte do marido, que não compreende que o período de despertamento da mulher para conseguir o orgasmo é bem mais longo do que o do homem. Outras vezes, não é questão de ignorância, mas falta de paciência e sensibilidade do marido para com a esposa. O período de esfriamento da esposa é mais vagaroso, e, portanto, o homem não deve afastar-se dela logo, porque, procedendo assim, ela pode sentir-se como "uma coisa" para o prazer dele. Para a mulher, o ato conjugal é muito mais emocional do que para o homem. Ela se envolve muito mais emocionalmente do que o marido. Portanto, é importante manter um ambiente de amor, bondade, carinho e compreensão dentro do lar, não somente na hora do relacionamento físico, mas em todos os níveis de relacionamento.

Quando o casal compreende que o ato sexual é para duas pessoas que "deixaram" seus pais, "uniram-se" e tornaram-se "uma só carne" e que ele é comunicativo, recreativo e um meio de gerar filhos e proporcionar prazer a ambos, será bem mais difícil Satanás conseguir vitórias no relacionamento conjugal. O casal que tem essa mentalidade não dá chance para que o inimigo ataque nesta área.

Infelizmente recebemos de nosso passado uma bagagem distorcida sobre o sexo. Um dos desafios para os pais cristãos e para a liderança da igreja é desenvolver atitudes bíblicas sobre a sexualidade humana e abrir o jogo com seus filhos, para que eles tenham uma vida feliz e saudável e possam, assim, construir famílias totalmente cristãs.

Senhor, fomos criados para o teu louvor e para a tua glória. A tua Palavra nos diz que, quando criaste o homem, 'Deus viu tudo quanto fizera, e era muito bom'. Senhor, sabemos que a nossa sexualidade foi criada para o bem-estar do homem e da mulher. Reconhecemos que o sexo é santo, puro e, portanto, não precisamos ter vergonha da nossa sexualidade.

Senhor, vivemos num mundo saturado pelo sexo e é difícil para nós termos um conceito puro e lindo sobre esta área da nossa vida. Por isso, ajuda-nos a entender o teu ponto de vista e a desfrutar a nossa sexualidade no casamento, como tu planejaste. Amém.

Capítulo 7

O que fazer com os impulsos sexuais?

Não veio sobre vós nenhuma tentação que não fosse humana. Mas Deus é fiel e não deixará que sejais tentados além do que podeis resistir. Pelo contrário, juntamente com a tentação providenciará uma saída, para que a possais suportar.
(1Coríntios 10:13)

Certa ocasião, depois de uma das minhas palestras sobre o sexo diante de uma perspectiva bíblica, um jovem chegou para mim e perguntou: "Jaime, você falou sobre o significado do sexo no casamento. Como fica a situação do jovem solteiro que ainda não tem esposa para expressar sua vida sexual? Como ele controla os impulsos que Deus lhe deu?"

Quero dedicar este capítulo a este assunto, porque creio que Deus providenciou meios para que o jovem solteiro viva uma vida santa e pura perante o Senhor. O impulso sexual é um instinto, uma resposta automática às circunstâncias ou situações estimulantes. Esses instintos exigem ou demandam gratificação imediata. Se nós deixamos estes instintos poderosos dominarem a nossa vida, nos tornamos escravos deles. E, uma vez que os nossos impulsos sexuais ganharam o controle dos nossos sentimentos e conduta, dificilmente irão nos abandonar.

Como é que podemos viver com esses desejos poderosos e ainda agradar a Deus? A maneira pela qual tratamos esses instintos estabelece um padrão para a forma com que trataremos outras crises emocionais mais tarde em nossa vida. Fisicamente falando, a atividade sexual, é uma das expressões mais íntimas possíveis ao ser humano. Não é um brinquedo. Não é um "ioiô psicológico" que pode ser sacado do bolso para preencher o vazio quando estamos sem fazer nada.

O impulso sexual é tão forte que é capaz de anuviar a nossa capacidade de pensar e de julgar. Pode levar um homem a ser desonesto, ladrão, homicida e até a gastar sua fortuna em busca de satisfação. O impulso sexual não é bom nem mau em si mesmo; tudo depende de como o encaramos e o usamos. Ele não pode ser ignorado, nem negligenciado. Todo jovem precisa enfrentar esta força com objetividade, reconhecendo que é uma dádiva de Deus para o bem-estar dele. Não deve esquecer, entretanto, que o impulso sexual pode se tornar uma arma na mão do Diabo para destruí-lo.

Sugestões práticas para você controlar os seus impulsos sexuais

Tenha certeza de que Jesus Cristo é o seu Salvador e Senhor pessoal

> *Mas a todos que o receberam, aos que creem no seu nome, deu-lhes a prerrogativa de se tornarem filhos de Deus* (João 1:12).

De acordo com a Palavra de Deus, quando você recebe Jesus como Salvador e Senhor, Deus lhe dá o poder, a capacidade para viver uma vida sobrenatural como filho dele. O Espírito Santo vem habitar dentro de você.

> *Os que vivem na carne não podem agradar a Deus. Vós, porém, não estais sob o domínio da carne, mas do Espírito, se é que o Espírito de Deus habita em vós. (Mas, se alguém não tem o Espírito de Cristo, não pertence a Cristo.) Se Cristo está em vós, embora o vosso corpo seja mortal por causa do pecado, o Espírito é vida por causa da justiça. E, se o Espírito daquele que ressuscitou Jesus dentre os mortos habita em vós, aquele que ressuscitou Cristo Jesus dentre os mortos há de dar vida também aos vossos corpos mortais, pelo seu Espírito, que em vós habita* (Romanos 8:8-11).

Assim você pode viver uma vida que agrada a Deus. Sem o poder sobrenatural do Espírito de Deus em sua vida você nunca poderá viver conforme os princípios e padrões de Deus.

Reconheça o conflito que há em você

Pois a mentalidade da carne é morte; mas a mentalidade do *Espírito* é *vida e paz* (Romanos 8:6). Gálatas 5:16,17 nos diz: *Mas eu afirmo: andai pelo Espírito e nunca satisfareis os desejos da carne. Porque a carne luta contra o Espírito, e o Espírito, contra a carne. Eles se opõem um ao outro, de modo que não conseguis fazer o que quereis.* Paulo está dizendo que existem duas naturezas dentro de cada crente: a natureza adâmica (velha), que recebemos quando nascemos fisicamente, ou seja, aquela tendência de rebelião contra Deus; e a nova natureza, o homem novo, que surge quando o Espírito de Deus vivifica o nosso espírito, e que é a parte da nossa vida que quer agradar a Deus.

Paulo está dizendo que essas duas naturezas estão em guerra uma contra a outra. A velha natureza quer ganhar supremacia para satisfazer as obras da carne, enquanto que a nova natureza quer agradar a Deus. Todo crente experimenta esta luta constante na sua vida.

Eu gosto de comparar esta luta com dois cachorros: um preto e um branco. O cachorro preto simboliza o *velho homem* e o cachorro branco representa o *novo homem*. Estão numa briga feroz; eu pergunto: "Que cachorro ganhará?" Você responde: "O cachorro branco, claro". Na verdade o cachorro branco deve ganhar. Mas a realidade da vida do jovem é que geralmente o cachorro preto vence. Por quê? Porque o cachorro que nós alimentamos é o que naturalmente vai ganhar; aquele que nós deixamos passar fome não terá forças para lhe resistir. Como nós podemos alimentar o cachorro branco?

A vida cristã exige disciplina em algumas áreas, como por exemplo: meditação e aplicação da Palavra de Deus na nossa vida. Quando não permitimos que a Palavra de Deus fale ao nosso coração e mexa com as nossas vidas, estamos dando lugar para que o Diabo atue em nós, isto é, estamos alimentando o cachorro preto. Se nós não selecionamos bem a nossa literatura e os filmes a que assistimos, podemos, por esses meios, poluir a nossa mente e coração, e, assim, alimentar o velho homem. Nunca devemos esquecer que há um campo de batalha no nosso coração e que o nosso ego gostaria de tomar conta dos nossos sentimentos, emoções e comportamentos.

Reconheça que a batalha começa com o controle da mente

> *Pois, embora vivendo como seres humanos, não lutamos segundo os padrões do mundo. Pois as armas da nossa guerra não são humanas, mas poderosas em Deus para destruir fortalezas. Destruímos raciocínios e toda arrogância que se ergue contra o conhecimento de Deus, levando cativo todo pensamento para que obedeça a Cristo* (2Coríntios 10:3-5).

Paulo diz: *Pois as armas da nossa guerra* não são *humanas, mas poderosas em Deus...* A questão é usar armas adequadas nesta batalha espiritual. Em Efésios 6:10-17, Paulo nos dá uma lista das armas com que devemos nos munir para *destruir fortalezas.*

O que é uma fortaleza? A música pode ser uma. A música moderna (estou me referindo mais ao *rock and roll* pesado) está sendo muito usada pelo Diabo para atingir a mente e moldar as atitudes e procedimentos dos jovens aos padrões deste mundo. Conheço jovens que chegam do colégio, vão diretamente para seu quarto e ligam o "sonzão". Ficam durante horas curtindo letras que só podem ser prejudiciais, por serem antibíblicas.

Num estudo que fiz sobre *rock and roll*, descobri quatro temas principais e recorrentes no rock. O primeiro (e principal) tema é o sexo. Qualquer jovem honesto e observador concordará comigo que as músicas têm sugestões sexuais que, às vezes, são declaradas abertamente. Em segundo lugar, proclamam a rebelião contra as autoridades. Em terceiro lugar, fazem apologia ao uso de drogas. E em quarto, difundem o misticismo.

Todos esses temas estão sendo apresentados do ponto de vista do deus deste século, que é o próprio Diabo. Se o jovem enche a "cuca" com esta filosofia de vida, não há possibilidade de ele controlar os seus impulsos sexuais, porque eles estarão sendo constantemente alimentados de maneira errada.

Outra fortaleza é a fotografia. Satanás procura estimular os nossos desejos por meio da pornografia. Algum tempo atrás eu estava numa cidade do interior de São Paulo e fiquei hospedado na casa de uma família cristã que tinha dois filhos: uma moça de aproximadamente 17 anos de idade e um rapaz de mais ou menos 20 anos. Eu estava cansado da viagem e, depois do almoço, perguntei à dona da casa onde poderia tirar uma soneca. Ela me ofereceu o quarto da sua filha que já estava no acampamento para onde eu iria mais tarde. Quando abri a porta do armário para pendurar o meu terno, encontrei, do lado de dentro da porta, um enorme quadro colorido de um homem pelado.

Andando pelo corredor, passei pelo quarto do rapaz. Neste havia um quadro semelhante, de uma mulher nua. Perguntei a mim mesmo: "Será que esta é mesmo uma família cristã?"

Muitos têm alimentado a mente com a revista *Playboy* e outras do gênero. Se alimentarmos o "cachorro preto", ele certamente vencerá. Jovem, não há possibilidade de você vencer os seus impulsos, se você não consegue controlar a sua mente.

Certa moça me telefonou contando-me a seguinte história: "Jaime, meu namorado telefonou para mim, convidando-me para assistir a um filme que eu sabia que era sujo. Eu o questionei se devíamos assistir ou não a um filme dessa natureza. Ele veio com o seguinte raciocínio: "Querida, nós devemos assistir para que saibamos a que os nossos colegas de colégio estão assistindo, para que possamos melhor entendê-los e, assim, ganhá-los para Cristo". Eu não fui com ele assistir àquele filme. Mas depois fiquei pensando que talvez devesse ter ido. "Afinal de contas", raciocinei, "o que um filme sujo vai fazer para nós?" Pelo telefone, eu lhe assegurei que a sua decisão foi correta, e certamente um exemplo para o seu namorado.

O apóstolo Paulo continua dizendo no versículo 5: *Destruímos raciocínios e toda arrogância que se ergue contra o conhecimento de Deus, levando cativo todo pensamento...*

Imagine que eu tenha um furo na parte superior da cabeça (pode ser até que você pense que eu tenha mais que um) e toda comunicação precise passar por este furo para atingir a minha mente e o meu coração. Para ter sucesso, eu preciso tampar o buraco com a Bíblia e permitir que somente os pensamentos que estão de acordo com o conhecimento de Deus passem por ele e sejam considerados dignos de meditação.

Jovem, essa disciplina devemos desenvolver na nossa vida cristã. Provérbios nos diz: *Porque, como imagina em sua alma, assim ele é* (Provérbios 23:7).

Paulo nos dá uma lista de qualidades que devem ocupar os nossos pensamentos:

Quanto ao mais, irmãos, tudo o que é verdadeiro, tudo o que é honesto, tudo o que é justo, tudo o que é puro, tudo o que é amável, tudo o que é de boa fama, se há alguma virtude, e se há algum louvor, nisso pensai (Filipenses 4:8).

Cuidado com as suas amizades

Não vos enganeis. As más companhias corrompem os bons costumes (1Coríntios 15:33).

Jesus perguntou: *Como dois homens podem andar juntos se não há concordância?* Amizades profundas podem exercer uma grande influência na vida do adolescente, especialmente na faixa de 12 a 17 anos. Creio que devemos ter amizades não cristãs, porque Deus nos descreve como *luz* e *sal.* A luz precisa brilhar nas trevas e o sal precisa estar na sopa para dar sabor. Não há dúvida de que não devemos isolar a nossa vida, com medo de contaminações.

Por outro lado, amizades íntimas devem ser cristãs. Quando eu estava com 17 anos, às vezes fumava e bebia. Nunca me viciei, e, honestamente, não gostei de nenhum dos dois. Então, por que eu fiz isso? Por causa da pressão dos meus amigos. Eu sacrifiquei meus "bons costumes" para ser aceito pelo grupo. Quando, com 18 anos de idade, eu entreguei a minha vida a Jesus como meu Salvador e Senhor, descobri que para ter bons amigos eu precisava ter alguns inimigos.

Amigo, cuide dos seus relacionamentos íntimos, e isto o ajudará contra as muitas tentações. Enquanto estou falando de amizades cristãs, quero adicionar uma palavra de advertência. Evite ficar sozinho por longos períodos. É uma oportunidade muito grande para a estimulação dos impulsos sexuais. Você estará abrindo sua imaginação para centenas de fantasias que podem ser facilmente desenvolvidas. Conversando com jovens, eles têm me falado que a tentação para se masturbarem vem exatamente em ocasiões assim.

Certamente há horas em que precisamos estar a sós. Estes períodos, porém, devem ser planejados com atividades e projetos que vão ocupar os nossos pensamentos, mente e coração de um modo sadio.

É importante ter alguns amigos confidentes com quem você pode desabafar, confessar suas tentações e pecados, e orar. Todo jovem precisa ter amigos nas horas de lutas.

Não se coloque em situações em que você poderá desenvolver pensamentos, atitudes e ações que não agradem ao Senhor

Há jovens que preferem andar na beira do barranco, em vez de andarem seguros longe do abismo. Por isso é tão importante estabelecer alvos com o seu parceiro no início do namoro, medidas que vão protegê-los contra as ciladas do Diabo. Planejem atividades que envolvam participação em grupo. Procurem não sair muito sozinhos. Planejem atividades sociais que proporcionem oportunidade para um maior conhecimento mútuo.

Quando morávamos em São Paulo, três moças estudantes do Instituto Bíblico Palavra da Vida moraram conosco durante um ano. Uma das medidas que adotaram logo no início foi a seguinte: se não houver outra pessoa em casa não convidem seus namorados para entrarem. Eu gostei muito do bom senso que elas demonstraram mantendo esta regra, e, portanto, prevenindo-se contra qualquer armadilha do inimigo. Precisamos lembrar que a vida cristã é uma batalha, e há necessidade de tomarmos medidas drásticas nas nossas vidas para que possamos vencer o inimigo.

Confesse os seus pecados

Quando pecar, corra imediatamente para a promessa de 1João 1:9: *Se confessarmos os nossos pecados, ele é fiel e justo para nos perdoar os pecados e nos purificar de toda injustiça.*

Lembre-se disto: apesar de não sermos fiéis, Deus é fiel. Quando confessamos os nossos pecados, nós concordamos que pecamos. E o sangue de Jesus constantemente nos purifica de todo pecado. Provavelmente você já se sentiu acusado e ameaçado pelo "acusador" dos irmãos. Lembre-se que Jesus não somente morreu pelos nossos pecados passados, presentes e futuros, mas também levou a nossa culpa. Não precisamos carregar um sentimento de culpa que nos derrota, tirando-nos toda a alegria da vida abundante. Se você cair, levante-se imediatamente, sacuda o pó da sua roupa e vá em frente com Jesus. Os longos períodos de remorso e derrota certamente levarão a outras derrotas e não nos conduzirão para a vitória em Jesus Cristo.

Evite racionalização ou justificativas

Todos temos dentro de nós um mecanismo que eu chamo de "racionalização". É aquela tendência de sempre se justificar, ou se desculpar, ou procurar um meio para escapar de uma responsabilidade. Lembra-se do argumento sutil do

Diabo para com Eva? Como uma "coisa boa pode ser má?" Esta racionalização funcionou tão bem que Satanás a tem usado para seduzir o homem desde a época dos nossos primeiros pais.

Isto não quer dizer que o impulso sexual seja mau. É uma dádiva do Senhor e é bom em si mesmo. É uma das possessões humanas mais preciosas e por isso precisa ser tratado com respeito e cuidado. Os homens que procuram explorar os outros para os próprios interesses escolhem uma das áreas mais vulneráveis das pessoas, que são os seus instintos sexuais. Despido de toda dignidade e santidade, o homem tem feito do sexo o fator principal de motivação e lucro.

Os exploradores do sexo comparam a expressão sexual com o amor verdadeiro. Isto pode ser demonstrado, por exemplo, por uma música que comunica a ideia do amor sendo apenas algo que sentimos passando uma noite juntos na cama. O sexo, sem dúvida, é uma parte do conceito de amor. Quando Paulo descreve o amor em 1Coríntios 13:4-7, ao longo de suas quinze características, ele fala que o amor tipo "ágape" é dar e não receber. Não encontramos naquele texto precioso uma referência sequer à expressão do amor no relacionamento físico. Às vezes, a maneira de demonstrar amor é controlando os impulsos sexuais, porque uma atividade sexual indiscriminada pode trazer sérias consequências.

Lembre-se das providências divinas

Há duas coisas que quero mencionar neste ponto. A primeira, ligada à dinâmica biológica do homem: em um jovem sadio cada testículo produz continuamente espermatozoides, que são lançados no epidídimo. O epidídimo é um tubo em espiral, ligado à extremidade superior de cada testículo. É, na realidade, um reservatório temporário para os espermatozoides. Quando o reservatório está cheio, o esperma é impelido para fora de cada epidídimo pelos respectivos canais condutores, para dois reservatórios no interior do corpo chamados vesículas seminais. Quando as vesículas seminais estão cheias, o impulso sexual da pessoa desperta e precisa ser aliviado. Deus providenciou um meio físico de alívio deste impulso por meio das emissões seminais noturnas, ou seja, a eliminação natural pela ejaculação de espermatozoides. Isto vem, às vezes, por intermédio de um sonho e se relaciona com a vida do subconsciente da pessoa. O jovem deve depender desta providência divina de alívio como um meio de controle dos impulsos sexuais (eu sei que nem todos os homens experimentam esta eliminação noturna).

Uma segunda área relacionada às providências divinas se aplica a moças e rapazes e é chamada de "sublimação" ou processo de despender e queimar energia sexual por meio de exercícios físicos e mentais, atividades e projetos diversos. Sublimação é a defesa mental que deve ser usada para transformar um tipo de procedimento inaceitável em um comportamento aceitável. Desde que o instinto sexual é essencialmente físico, embora existam as implicações emocionais, também, uma das melhores maneiras de reduzir a pressão é transformá-lo numa atividade física. Pode ser um passeio, jogar futebol ou vôlei, ou um projeto que envolva criatividade. Desta maneira, você estará soltando a válvula da panela de pressão.

Medite na Palavra de Deus

Se eu tivesse que escolher a maneira mais importante de controlar o impulso sexual, seria esta. Quando eu estava na faculdade, aprendi um conceito que até hoje tem me ajudado. Quero compartilhá-lo com você: "A Palavra de Deus afastará você do pecado, ou o pecado afastará você da Palavra". Toda ênfase na importância da Palavra de Deus em sua vida é pouca. É fundamental aquela hora silenciosa em que você abre a Palavra de Deus, lê e medita nela. Cuidado para que isso não se torne um amuleto, nem em algo mecânico em que a pessoa pensa que o hábito vai garantir a vitória na vida. Por outro lado, não caia no erro de pensar que não é importante uma disciplina na Palavra e na oração diária. O salmista nos fala que o homem feliz é aquele que tem prazer na lei do Senhor e nela medita de dia e de noite.

> *... pelo contrário, seu prazer está na lei do SENHOR, e na sua lei medita dia e noite. Ele será como a árvore plantada junto às correntes de águas, que dá seu fruto no tempo certo e cuja folhagem não murcha. Tudo que ele fizer prosperará* (Salmos 1:2,3).

Fui criado numa fazenda. Com oito anos de idade, já tirava, diariamente, leite de duas vacas. Uma das cenas da fazenda que mais gosto de lembrar é uma vaca deitada debaixo de uma árvore, ruminando. A vaca tem três estômagos. Quando ela come a grama, ela não procura mastigá-la. Depois de ter enchido o seu primeiro estômago, ela se deita e com toda a calma se põe a mastigar, passando o alimento para os outros estômagos. Na grama, a vaca está literalmente "meditando". Ela está empenhada em sentir o seu gosto e em mastigar cuidadosamente o que comeu. É isso que precisamos fazer com a Palavra de Deus. Precisamos comer, mas não engolir rapidamente. Precisamos meditar na Palavra para que ela se torne parte integral do nosso ser, transformando nossas atitudes e procedimentos.

A Palavra de Deus deve se tornar prioritária na nossa experiência cristã, transformando o nosso ponto de vista no ponto de vista divino. Em vez de nos conformarmos com este século, devemos renovar a nossa mente pela meditação na Palavra de Deus.

Jovem, é impossível controlar seus impulsos sexuais, se não há compromisso sério com a Palavra de Deus. O salmista, em Salmo 119:9, pergunta a si mesmo:

> *Como o jovem guardar seu caminho?*

E ele mesmo responde à sua pergunta:

Vivendo de acordo com a tua palavra. Nós devemos avaliar o nosso caminho à luz da Palavra. No versículo 11, o salmista nos diz:

> *Guardei a tua palavra no meu coração para não pecar contra ti.*

Lembre-se da promessa de Deus:

... e eu estou convosco. Ele prometeu estar conosco na hora da tentação, não importando quais sejam as circunstâncias ou situações. Ele é fiel em nos socorrer na tentação e nos proverá livramento, de sorte que a possamos suportar. Quando a tentação chegar, ligue as suas antenas e procure a providência do Senhor para escapar dela.

O instinto sexual não é uma coisa que roubamos do estoque das bênçãos da casa do Senhor quando ele não está olhando. É uma dádiva que ele nos deu porque nos ama. Ele quer que nós desfrutemos de toda a nossa sexualidade dentro do seu plano e para a sua glória. A minha oração é que essas dez sugestões possam servir de ajuda para que você ganhe vitória no controle dos impulsos sexuais.

Senhor Jesus, viver com estes sentimentos e impulsos sem desagradar-te tem sido difícil. Confesso que tenho tido dificuldades sexuais. Sei que esses impulsos, em si, são puros porque foram criados por ti. Senhor, quando vier o tentador, que eu me lembre de que tu és fiel e não permitirás que eu seja tentado além das minhas forças. Ajuda-me a procurar a tua provisão na hora do 'fogo'. Senhor, aceita-me mesmo que eu tenha dificuldade em me aceitar como sou. Obrigado, Senhor. Amém!

Capítulo 8

Amor ou paixão?

O amor é paciente; o amor é benigno. Não é invejoso; não se vangloria, não se orgulha, não se porta com indecência, não busca os próprios interesses, não se enfurece, não guarda ressentimento do mal; não se alegra com a injustiça, mas congratula-se com a verdade; tudo sofre, tudo crê, tudo espera, tudo suporta.

(1Coríntios 13:4-7)

Uma das principais perguntas que jovens me fazem na área de namoro é: "Como a gente sabe se está amando de verdade?" Essa é uma boa pergunta. Procurarei respondê-la, fazendo uma comparação entre a definição bíblica de amor e uma simples paixão.

Há uma confusão muito grande entre o que é amor verdadeiro e alguma coisa que a gente sente por uma garota ou por um rapaz. Quando um jovem namora, ele tem sentimentos de amor para com a outra pessoa, mas precisa tomar cuidado para não perder a objetividade. Objetividade é a capacidade de avaliar as coisas como elas realmente são, em vez de se deixar manipular por sentimentos ou paixões. Nem sempre é fácil para um jovem distinguir entre amor e paixão. Essa é a razão pela qual muitos jovens tomam decisões apressadas. Eles perdem a objetividade, casam com a pessoa errada e depois descobrem que o que sentiam não era amor, mas simplesmente paixão romântica.

Deus é a única pessoa que pode pensar de maneira totalmente objetiva, isto é, ele toma decisões baseadas no entendimento completo da situação. Deus tem uma "vista aérea" da nossa vida. Recentemente, tomei um avião de São Paulo a Curitiba. Chegando a Curitiba, notei que o avião não estava indo direto para o aeroporto. Nós ficamos sobrevoando a cidade durante uns 15 minutos. Eu estava sentado à janela e pude ver a cidade toda ao mesmo tempo. É assim Deus vê a nossa vida. Ele é capaz de olhar para o nosso passado e futuro ao mesmo tempo. Ele conhece todas as nossas experiências, todos os fatos da nossa vida, e, sendo o nosso Criador, o seu conhecimento a nosso respeito é total. Por isso ele é capaz de dirigir a nossa vida. Cabe a nós esperar nele, para tomarmos decisões corretas em relação ao nosso namoro, noivado e casamento.

Agora, vamos ver a diferença entre amor e paixão. A paixão romântica é o impulso emocional do amor. Ela se baseia num conhecimento superficial de outra pessoa e ainda não passou pelas provas de tempo e circunstância. Não há nada errado em você ficar apaixonado por alguém. De fato, é totalmente válido. Eu me lembro dos primeiros meses do meu namoro com Judith, quando eu vivia "nas nuvens", de tão apaixonado!

No seminário, durante uma aula de grego ou hebraico, meus pensamentos "voavam" a uma distância de mais ou menos 8km para uma loirinha linda de olhos verdes. Eu dormia com os bilhetes dela debaixo do meu travesseiro. Após muitos anos de casamento, eu e Judith ainda temos nossos momentos de romantismo. No entanto, esta paixão tem, agora, a base firme de um amor verdadeiro e profundo.

Aquela paixão inicial que você sente tem de se tornar, gradativamente, um amor profundo que seja um alicerce firme para o seu casamento. O mundo define o amor como um sentimento intenso de duas pessoas que se consideram certas uma para a outra. Este sentimento se torna tão forte que o casal conclui que se deve casar. Quando, depois de um, dois ou cinco anos, o casal perde este sentimento, tudo acaba em desquite ou divórcio. Nesses casos, provavelmente, nunca houve amor...

Às vezes, somos contaminados pelos conceitos e ideias do mundo que nos cerca. A sociedade constantemente confunde paixão romântica com amor. Por exemplo: há canções populares que transmitem a ideia de que amor é algo que duas pessoas sentem quando passam uma noite juntos na cama. Este é o amor tipo "eros", amor sexual. Muitos se casam com base nele. Tal tipo de amor nunca é suficientemente forte para unir um casal em hora de crise. É o amor "ágape" que segura as rédeas e fornece uma base sólida para um casamento feliz.

O amor é uma necessidade emocional e um ato da vontade que responde a uma avaliação intelectual da personalidade total da outra pessoa. Falando de amor enquanto um ato da vontade, eu gostaria de recomendar a leitura de *Amor, sentimento a ser aprendido*, de Walter Trobisch, publicado pela ABU Editora.

O amor não é simplesmente um sentimento, uma emoção ou um momento de romantismo, mas algo proposital. Eu tomo uma decisão racional de amar a minha esposa. Há momentos em que eu não sinto muito amor por ela, não sinto aquele romantismo. Não é como o foi num sábado quando ainda estávamos namorando. Subimos uma montanha alta do Estado de Oregon e brincamos, um jogando neve no outro. Contemplamos aquela linda paisagem; brincamos e nos abraçamos. Que sentimentos de amor!

Deus, quando olhou para a humanidade, não ficou emocional ou sentimentalmente comovido. A Palavra nos diz que ele nos amou primeiro. Não houve nenhuma emoção, mas uma decisão racional. Este tipo de amor possibilita a uma pessoa que já chegou a odiar alguém que volte a amar esse alguém. Ele não está baseado nos sentimentos, mas numa decisão. Geralmente o mundo não encara o amor assim. Expressões como: "O amor é cego"; "amor à primeira vista", não se enquadram na definição bíblica. Em 1Coríntios 13:4-7, nós temos uma lista completa das 15 características do amor: *O amor é paciente; o amor* é benigno. *Não é invejoso; não se vangloria,* não se *orgulha, não se porta com indecência, não busca os próprios interesses, não se enfurece, não guarda ressentimento do mal; não se alegra com a injustiça, mas congratula-se com a verdade; tudo sofre, tudo crê, tudo espera, tudo suporta.*

Não existe no mundo uma definição melhor de amor verdadeiro do que a definição de Deus.

Caraterísticas do amor verdadeiro

O AMOR É PACIENTE

O amor, que é paciente, requer tempo para conhecer a outra pessoa, o seu caráter, seus pontos fracos e fortes. Se você sente que ama alguém, o tempo é seu maior amigo. Você precisa de tempo para saber se ele(a) também é paciente e não perde a calma. Isto não pode ser descoberto a curto prazo. É possível esconder certas fraquezas por muito tempo e, às vezes, até entrar no casamento sem que o cônjuge as descubra. Você também precisa de tempo para saber como ele(a) reage às suas fraquezas, se as descobrir. Tempo para saber como ele(a) age quando a sua vontade não é feita. Tempo para saber a sua reação à pressão que a vida traz. Tempo para saber se a pessoa é organizada ou descuidada. Tempo para saber como ele(a) reage à autoridade dos pais. Ela é respondona? Desobedece a seu pai? Não demonstra respeito e honra pelos pais? Isso mostra a maneira com que ela vai reagir, futuramente, à autoridade do seu marido. Ele fala mal de sua mãe quando vocês estão juntos? Ele a trata sem carinho e respeito? Um dia ele vai tratar a esposa como tratou a mãe dele. Você precisa de tempo para saber se a pessoa é preguiçosa ou trabalhadora; para saber se o namoro pode durar sem atividade sexual ou o desenvolvimento de uma intimidade além dos limites de Deus. Para saber o que ele(a) pensa sobre Deus, sobre Cristo e a vida cristã. Tenho descoberto, no trabalho de aconselhamento com noivos, que muitos não conversam sobre assuntos de grande importância para o casamento como, por exemplo, a maneira de educar filhos. Depois de casados, eles descobrem que existem grandes divergências nesta área da vida familiar. O amor é sempre um processo de crescimento, e crescimento precisa de tempo. Enquanto você está namorando, envolva--se em várias atividades diferentes que colocarão você e seu parceiro em situações reais. Isto lhes dará oportunidade para observar as reações de ambos em meio dos vários tipos de pressões e circunstâncias.

A paixão tem a pressa de se envolver romanticamente. O perigo da pressa é que a pessoa diz e faz coisas para não perder a outra pessoa ou para conservar sentimentos que não durarão muito tempo. A paixão romântica procura mudar a personalidade básica e o estilo de vida do seu parceiro para colocá-lo dentro do tipo de pessoa que ele(a) idealiza. O problema é que a paixão romântica não pode mudar estas características negativas da outra pessoa. A mudança do seu parceiro vem por um amor profundo, da paciência e da submissão à obra do Espírito. Permita-me ilustrar o que estou dizendo.

Vamos imaginar que a sua futura esposa não é boa cozinheira e vai queimar o feijão e o arroz todos os dias, durante quarenta ou cinquenta anos do seu casamento. Claro que seria muito bom se ela aprendesse a fazer arroz, sem queimá-lo. Você já pensou quanto arroz e feijão queimados você teria que comer durante esses anos? O amor verdadeiro é capaz de aguentar cinquenta anos de feijão e arroz queimados. Por outro lado, eu duvido que a paixão romântica aguente um ano. Imagine seu futuro marido jogando a roupa suja num canto do quarto e nunca a colocando no baú. Você, moça, é capaz de viver com um homem assim? Mas você diz: "Jaime, eu espero que ele mude!" E eu respondo: "Eu também espero que ele mude. Mas, e se ele não mudar? Só o amor leal será capaz de levar você a ajuntar a roupa dele e colocá-la no lugar certo".

O que estou querendo dizer é que o amor verdadeiro aceita a pessoa como ela é e não como gostaríamos que ela fosse.

Esse é o amor de Deus para conosco. Deus demonstrou o seu amor para conosco tendo paciência, e não nos manipulou como objetos. O amor diz ao seu parceiro: "Eu aceito você como você é agora". Nunca entre no casamento pensando que você vai mudar características ou fraquezas do seu cônjuge. Aceite-o como ele é, e quando houver mudanças para melhor, louve-o pelo seu crescimento. O amor é paciente. Esta é uma das qualidades mais necessárias na vida conjugal.

O AMOR É BENIGNO

A tendência da paixão romântica é esquecer rapidamente os atos de bondade. Parece muito fácil ser benigno no início do namoro, com alguém de quem você gosta muito. O amor genuíno será provado através dos anos e lutas e provações por que os dois passarão. O problema com o relacionamento baseado na paixão é a inconsistência em dar de si mesmo para o seu parceiro. Este relacionamento se desfaz facilmente, e, em vez de ser algo agradável, torna-se um peso na vida do casal. O amor é uma coisa maravilhosa porque está disposto a dar, dar e, ainda, dar.

Algumas sugestões sobre alguns atos de bondade:

1. Passar tempo com os pais dela(e). Dizem que quando você casa com ela(e), também se casa com sua família.

2. Ser um ouvinte paciente. Quantas vezes gostamos de falar e queremos ser bem compreendidos. Mas "comunicação" é uma rua de duas mãos. Aprenda a ouvir não somente com os ouvidos físicos, mas também com os ouvidos do coração.

Demonstrar interesse e atenção é uma arte e uma necessidade num relacionamento feliz e seguro.

3. Estar disposto a fazer pequenas coisas para ela(e). Você demonstra irritação ou indisposição em fazer coisinhas para ela(e)? Se você respondeu “sim”, eu tenho uma notícia para você: o casamento não vai melhorar a situação.

Precisamos lembrar que o amor é algo dinâmico, não estático. É como uma planta que precisa de cuidado. A planta precisa de sol, água e fertilizante para que possa se desenvolver e dar frutos. Neste ponto, nós negligenciamos muito os nossos relacionamentos. Pensamos que o amor verdadeiro vai-se desenvolver sem nenhum esforço de nossa parte. Mas isso não acontece. Se você quiser que seu casamento fique chato, cansativo, triste, uma palavra de aconselhamento: não faça nada para cuidar deste aspecto dinâmico. Ele murchará e se tornará como muitos casamentos atuais, ou seja, uma simples existência de duas pessoas debaixo do mesmo teto. O amor foi-se desvanecendo e já não existe mais.

O amor, porém, demonstra na vida cotidiana atos de bondade que cuidarão da parte emocional de seu relacionamento. Jovem, quando foi a última vez que você levou flores para a sua garota? Não estou dizendo que você deve levar um buquê grande, porque as flores são caras, mas é possível levar pelo menos uma flor para ela. O que é importante é o sentimento. Ela sabe que você está pensando nela. Talvez você pense que esses pequenos atos sejam bobagens. Mas descobri que a vida conjugal é uma série de acontecimentos e o casal feliz é o casal que sabe intercalar “coisinhas”, como flores, no meio desses eventos. Se você notar que a sua disposição em dar é esporádica, pare e verifique se existe amor mesmo.

O amor não arde em ciúmes

A paixão romântica é facilmente ameaçada e, portanto, possessiva e insegura. Este relacionamento é baseado na emoção e não passou pela prova de tempo e circunstância. Uma pessoa apaixonada sente que seu novo relacionamento requer tempo e atenção constante para que o namoro valha a pena. Por causa disso, esta pessoa pode ficar chateada, ou se mostrar hostil, ou até mesmo, ardendo em ciúmes, se outra pessoa ou situação toma tempo do parceiro.

Não há nada mais irritante na mocidade da igreja do que aquele casalzinho que fica isolado, sempre abraçado, mesmo nas atividades com todo o grupo. Aquele tipo que, se a moça começa a bater papo com um rapaz, ou com um grupinho de pessoas, seu namorado (ou noivo) fica uma fera. E se, por outro lado, é o rapaz que conversa um pouco mais com alguma moça, sua namorada já fica de "cara amarrada", morrendo de ciúmes.

Um relacionamento de namoro é bem-sucedido quando duas pessoas com personalidades diferentes compartilham uma com a outra tudo o que elas são, tudo o que elas fazem, e seus sonhos para o futuro. Enquanto duas pessoas crescem e compartilham entre si, é importante que cada uma desenvolva outras amizades. Isso vai ajudar no crescimento enquanto estão separados um do outro. O amor não é "*auto*centralizado", mas "*outro*centralizado".

O amor real faz a pergunta: "Como posso ajudar meu(minha) namorado(a) a crescer sem a minha presença constante?" Você deve dizer: "Eu gosto de você, mas há algumas atividades que você precisa fazer sem a minha presença. Há algumas ocasiões que você deve passar com sua família. Algumas vezes, você deve estar com seus amigos. Há um serviço que você pode fazer na igreja sem mim. Às vezes, você deve estar sozinho(a) para ler, orar, meditar". Lembre-se: seu(sua) namorado(a) não é sua propriedade. Ele(a) pertence ao Senhor. Para que ele(a) se torne um crente dinâmico, você precisa encorajá-lo(a) e servi-lo(a). Portanto, liberte seu(sua) namorado(a) para que isso aconteça!

O amor não se enfurece.

O dicionário define "enfurecer-se" como: ficar furioso, irar-se, zangar-se, irritar-se muito. A paixão romântica baseia-se na emoção que não passou pela prova de tempo e circunstância. A pessoa quer preservar o sentimento de amor, e, consequentemente, os pontos de irritação são encobertos, para não precisarem ser enfrentados. O amor verdadeiro não faz romantismo com as realidades da vida, mas procura ser aberto, enfrentar as dificuldades e resolvê-las com realismo. No meu trabalho de aconselhamento com casais, tenho percebido que no início do relacionamento de muitos casais houve uma comunicação razoável. Com o passar do tempo, os pontos de enfurecimento ou irritação dos cônjuges foram sendo descobertos. Em muitos casos não houve coragem e honestidade para enfrentar, conversar e procurar resolver a irritação. Portanto, pouco a pouco, os dois foram-se fechando cada vez mais no seu recluso solitário. O amor verdadeiro confronta. Esse é um dos preços de um casamento feliz e muitos casais não estão preparados para pagá-lo.

Permita-me fazer-lhe algumas perguntas que o ajudarão a discernir se seu relacionamento é realista e honesto, ou não:

1. Há fraquezas em sua vida que você procura esconder do seu parceiro, as quais, se descobertas, podem romper o seu relacionamento?

2. Há assuntos controvertidos que vocês evitam por terem medo de criar encrencas?

3. Seu parceiro tem fraquezas quanto a atitudes ou comportamento, sobre os quais você gostaria de conversar com ele, mas tem medo?

Se você respondeu "sim" a qualquer uma dessas perguntas, então seu relacionamento está necessitando de mais objetividade e honestidade. O amor verdadeiro procura resolver o enfurecer. O amor sabe que todo relacionamento tem de passar por provações e tempos difíceis. O amor sabe que fugir das dificuldades somente piorará a situação. O amor real usará a tribulação para que o relacionamento se torne mais profundo.

O amor não busca os próprios interesses

A pessoa apaixonada vive na ilusão de que está suprindo as necessidades do seu parceiro quando, na realidade, as suas necessidades é que estão sendo supridas egoisticamente. Quero dar cinco ilustrações para tornar claro o que estou dizendo. Descobri que há várias razões por que os jovens namoram e se casam. Uma das razões é *sentir-se seguro*. A moça encontra um rapaz e diz: "Encontrei o homem de minha vida... O meu príncipe encantado!" Esta jovem provavelmente é tão insegura que fica mais apaixonada pela segurança que o rapaz inspira do que propriamente pelo rapaz.

Casar com base nisto certamente lhe trará problemas. Se ele entrar em uma maré-baixa, financeiramente, e perder aquela segurança que ela tanto almeja, o que acontecerá com o casamento?

Em segundo lugar, jovens se casam porque necessitam de *atenção*. Uma moça encontra um rapaz que lhe dá bastante atenção. Ela fica superapaixonada com a atenção que lhe é dedicada e, em vez de casar com um homem, se casa com um conceito. Mas, o que acontecerá quando ele tiver de viajar e não puder lhe dar atenção?

Alguns jovens namoram e se casam por causa da *posição social*. Há jovens que namoram pelo simples fato de o parceiro ser realizado social ou financeiramente. O senso de realização vem quando ele(a) sabe que está sendo cuidado(a) por alguém do sexo oposto. Isso não é necessariamente errado, mas tome cuidado para que o seu desejo de realização não tome o lugar de um amor genuíno. Nunca vou me esquecer de certa noiva que fez meu curso, e o noivo dela não era crente e não tinha interesse nas coisas de Deus. Ela chegou para mim, depois de uma aula, com lágrimas nos olhos, e disse: "Jaime, acabei de desmanchar meu noivado e devolver minha aliança para ele". Ela disse que foi doloroso e difícil, mas que sentia uma paz interior quanto à sua decisão. Eu fiquei contente com a coragem daquela moça, mas fiquei triste quando ela me falou que ainda precisava enfrentar o seu pai e contar-lhe o caso.

— Meu pai vai ficar furioso ao saber disso.

— Por quê? — perguntei à moça.

— Meu pai sempre quis que eu casasse com um homem de bons recursos financeiros, e meu ex-noivo é esse tipo de homem.

Que lástima aquele pai não ter seus valores numa perspectiva correta! Jesus disse, falando sobre avareza, que a vida de um homem não consiste da abundância de coisas que ele possui. Cuidado, jovem, para não deixar o Diabo convencê-lo de que esta é a base para um casamento feliz.

Uma das tentações que um jovem infeliz no seu lar enfrenta é casar cedo para *fugir do ambiente familiar.* Ele vê uma oportunidade de fugir da situação infeliz no seu lar e se casa sem amor genuíno. Isto é um grande erro, pois sua situação pode se tornar pior do que a anterior. Ele não percebe que um dos problemas da infelicidade de seu lar é ele próprio. E, por não enfrentar com realismo a si mesmo antes de casar, ele simplesmente estará levando o problema consigo para o novo lar. Assim, é bem provável que seu problema vá se agravar.

Muitas vezes o casamento está baseado na *aparência física.* O rapaz namora somente porque a moça é bonita. Quero fazer algumas perguntas para que você possa meditar e avaliar a sua motivação em relação à aparência de sua garota:

1. Uma vez casado, você acha que a aparência dela vai ajudá-los a enfrentar uma provação?

2. Se você ficar irritado com ela, acha que a aparência dela ajudará a acalmar a sua raiva? Imagine-se numa hora de irritação: sai uma briga feia, mas, naquele momento, você olha para os cabelos pretos, os olhos castanhos de sua esposa e, então, como que num passe de mágica, sua raiva desaparece e você se torna um homem humilde, manso e com disposição de perdoar... Que nada! A aparência dela não vai ajudar nenhum pouco nesta hora.

3. Se a sua namorada sofresse um acidente e ficasse deformada, você ainda a amaria? Conheço um homem que respeito muito. Sua esposa ficou parcialmente paralisada após uma doença e precisava ser cuidada como uma inválida. Ela ficou impossibilitada de exercer a sua função de esposa e mãe. Um dia, nossa família foi convidada para jantar com esse casal. Quando chegamos, ele estava descascando batatas, preparando o jantar. Isto depois de um dia árduo no serviço. Na hora do jantar, ele a trouxe numa cadeira de rodas para a mesa. Sabe, gente, este é o amor que não procura os seus interesses, não está baseado na aparência física.

4. Se você tivesse de ficar horas ao telefone conversando com sua(seu) namorada(o) em vez de estar com ela(e) fisicamente, você ficaria "sem graça"? Em outras palavras, tem de haver certa intimidade física no seu relacionamento para valer a pena?

5. Você acha que a sua namorada gosta mais de um elogio sobre a sua aparência do que sobre sua personalidade? Se ela está mais preocupada com a beleza exterior, isto pode ser uma "dica" de que o relacionamento precisa se aprofundar mais para que seja amor verdadeiro.

Estas cinco características: o amor é *paciente,* o amor é *benigno,* o amor *não arde em ciúmes,* o amor *não se enfurece,* e o amor *não busca os próprios interesses* são qualidades básicas para um relacionamento bem-sucedido. Faça uma avaliação do seu relacionamento e pergunte a si mesmo: será que estas características existem na nossa vida de namoro e noivado? Será que nós estamos crescendo no amor "ágape"?

Lembre-se: a decisão sobre com quem você vai se casar é muito importante. Creia ou não, Deus está mais interessado em saber com quem você vai se casar do que com você mesmo. Entregue esta área da sua vida a ele. Provérbios 3:5,6 nos diz: *Confia no SENHOR de todo o coração, e não no teu próprio entendimento. Reconhece-o em todos os teus caminhos, e ele endireitará tuas veredas.*

> *Querido Pai, eu amo a minha namorada. Entretanto, quando leio a tua Palavra, especialmente quando ela fala sobre amor, surgem algumas dúvidas em minha mente. O mundo tem me ensinado que amar é passar uma noite na cama com minha garota. É aí que eu fico confuso. Muitas vezes, Senhor, tenho amado porque tenho recebido atenção e carinho da minha namorada. Reconheço que este é um amor egoísta. Senhor, eu abro o meu coração para que tu o enchas com o teu amor. Eu quero amar de verdade, com o mesmo amor que o Senhor demonstrou para mim na cruz. Ensina-me a amar de modo sacrificial, voluntário e completo. Em nome de meu amado Senhor. Amém!*

Capítulo 9

"Lua de mel" ou "lua de fel"

> *Por isso o homem deixará pai e mãe e se unirá a sua mulher, e os dois serão uma só carne.*
> (Efésios 5:31)

Certa vez um casal contou-me de seus amigos que haviam casado há pouco tempo e já estavam com problemas gravíssimos no casamento. Depois de ouvir coisas tristes sobre o casamento deles, eu perguntei se eles sabiam alguma coisa sobre a lua de mel daquele casal. Eu creio que alguns problemas, especialmente no início do casamento, podem ser causados no período antes do casamento ou na lua de mel. Eles me contaram o seguinte drama: "O casamento deles foi mais ou menos às 19 horas, e até terminar a recepção e a preparação para a viagem já eram 22 horas. Eles viajaram com outros irmãos e parentes mais ou menos duas horas até chegarem ao local onde iriam passar a noite, junto com os familiares. Como não houvesse espaço suficiente no lugar, as mulheres tiveram que dormir num quarto e os homens em outro, incluindo o novo casal.

No dia seguinte, o casal saiu sem os amigos e parentes e foram para um acampamento onde pretendiam ficar sozinhos por alguns dias. Mas, chegando ao acampamento, descobriram que a Sociedade de Senhoras de sua igreja havia planejado um retiro no mesmo local. Você imagina quanta atenção aquelas senhoras idosas mostraram àquela jovem esposa, a ponto de o casal não ter tido muitas oportunidades de ficar a sós. Além disso, eles também tiveram de dormir em um colchão velho, no chão.

Quando eu fiquei sabendo desta "lua de mel", foi fácil entender por que esse casal estava com sérios problemas logo no início do casamento. Eu decidi adicionar este capítulo ao meu livro porque creio que é de suma importância o que, na nossa cultura ocidental, chamamos de "lua de mel". Não é meu propósito me aprofundar neste assunto, mas dar algumas atitudes básicas e sugestões práticas sobre este período tão importante da vida do casal.

Eu gostaria de começar dando o porquê da lua de mel. Por que é costume passar uma, duas ou três semanas juntos, viajando no início do casamento? Naturalmente isto é um costume da nossa cultura, e nem todas as sociedades têm esse hábito. Mas, pessoalmente, creio que é uma ótima prática, pensando na preparação para a vida a dois.

A lua de mel é importante porque é o início da experiência de "uma só carne". É importante planejar bem esses dias tão preciosos na vida do casal, porque será uma experiência marcante a ser lembrada com o passar dos anos. Há tanta preparação para o casamento. Primeiramente no cartório e depois com aquela cerimônia linda na igreja. Mas o casamento só será consumado pela experiência de "uma só carne". Isto acontece na cama, na primeira noite da lua de mel. Portanto, há necessidade de muita preparação também para a lua de mel. Em certo sentido, pensando no futuro do casal, esse momento é mais importante do que a própria cerimônia na igreja.

Durante o período do namoro, os namorados concentram-se no desenvolvimento da parte espiritual; no noivado, na parte emocional e mental; e no casamento, na união física.

Muitas vezes, os noivos entram no casamento com preocupações quanto à parte física. Esses medos estão, em geral, relacionados mais com a noiva. Tais medos podem causar eventuais problemas emocionais logo no início do casamento.

Razões que fazem uma mulher entrar no casamento com medo e incapacidade de gozar o relacionamento físico

Em primeiro lugar, ela pode pensar que o sexo é mau, sujo, e só deve ser usado para a procriação

Esta atitude pode causar uma incapacidade de resposta sexual na jovem esposa e, portanto, tirar a alegria e o prazer que ela deve experimentar por um relacionamento normal com o marido. Pode ser que ela tenha aprendido isto de sua mãe, que nunca experimentou uma sensação de prazer e, portanto, transmitiu isso para a filha. A filha entra no casamento com medo de se relacionar fisicamente com seu marido.

Em segundo lugar, pode faltar uma educação sexual adequada antes do casamento.

A noiva deve estar "por dentro" do assunto de sexo no casamento. Ela deve estar a par da natureza sexual dela e de seu marido. Eu gostaria de sugerir a leitura do livro *O ato conjugal*, de Tim LaHaye, algumas semanas antes do casamento. Há uma grande necessidade de conversar com o(a) noivo(a) a respeito de assuntos sexuais, para que haja compreensão. Isto vai ajudar o casal nas primeiras experiências sexuais na lua de mel.

É importante lembrar que todo casal, entrando no casamento, provavelmente terá alguns receios nesta área. Isto é mais ou menos normal. Mas alguns destes medos e dúvidas podem ser resolvidos por meio de uma conversa com um conselheiro qualificado, ou médico de confiança, antes do casamento.

Extremos que o jovem deve evitar

Primeiro: achar que sexo é tudo

Isto quer dizer, nada é mais importante que o relacionamento físico. Na verdade, o ato conjugal é tremendamente importante no relacionamento do casal. Inclusive, se o casal não tem um bom relacionamento nesta área, sem dúvida isto afetará as outras áreas da sua vida conjugal. Ao mesmo tempo, temos de tomar cuidado para não darmos a ele demasiada importância porque o ser humano não é somente físico, mas também emocional e espiritual. Com isto, eu também estou afirmando que o ato sexual não é somente físico, é também emocional e espiritual. E essa é uma das razões por que é importante.

Segundo: considerar que sexo é nada

Ou seja, que o sexo é insignificante e não tem nenhum valor no nosso relacionamento conjugal. Naturalmente esta atitude é um perigo, porque Deus nos criou não somente com a capacidade de procriar, mas, também, com a capacidade de expressar atenção e amor e comunicar a unidade na experiência de uma só carne. Portanto, é uma parte importante e não deve ser desprezada. Há uma necessidade fisiológica e emocional que deve ser suprida pela expressão física.

Entendidos estes pontos, quero fazer algumas sugestões sobre atitudes a serem tomadas pelo casal durante a lua de mel:

1. Creio que nós já frisamos a importância de um bom planejamento para a viagem de lua de mel. Naturalmente esse planejamento deve ser feito em conjunto. O tempo da lua de mel, o lugar, a situação financeira do casal, são detalhes importantes no planejamento.

2. Gostaria de sugerir que a lua de mel tenha pelo menos cinco dias de duração e, no máximo, duas semanas. Eu, pessoalmente, não creio que uma viagem de três meses pela Europa seja uma boa maneira de começar a vida conjugal. Também creio que uma ou duas noites juntos não é o suficiente para dar um bom início à vida do casal.

3. Creio que não é aconselhável viajar muito na lua de mel, especialmente depois da cerimônia do casamento. Geralmente o casal, nos últimos dias antes do casamento, tem uma vida bem ativa e até cansativa, preparando tudo para a cerimônia. A cerimônia em si, embora preciosa e maravilhosa, é cansativa. E o casal, depois de receber todos os cumprimentos dos parentes e amigos na

recepção, está exausto. Portanto, o ideal é que a viagem até o local da sonhada noite de núpcias esteja a mais ou menos uma hora de distância do local do casamento.

4. Um dos propósitos da lua de mel é conhecer um ao outro, física, emocional e espiritualmente. Se este período é cheio de viagens e mudanças, não há tantas oportunidades para andar juntos, de mãos dadas, apreciando as paisagens, conversando intimamente, lendo a Palavra e compartilhando algo dela, aprendendo a se relacionar fisicamente. Creio que seria melhor achar um lugar bonito, afastado, sossegado, e ficar alguns dias sem se preocupar com viagens.

5. Uma atitude que o casal deve ter, pensando na primeira noite, é que a primeira experiência sexual é uma das alegrias principais da lua de mel. No entanto, eles não devem esperar realização total na primeira vez, nem, necessariamente, na primeira semana ou mês. Muitas vezes os noivos têm fantasias sobre como vai ser o ato sexual com seu amado. Isso é mais ou menos normal, mas a vida é um processo de aprendizagem. Também deve ser lembrado que a realização e perfeição no relacionamento físico levam semanas, meses e até anos.

Eu me lembro, quando estava aprendendo a dirigir, de como soltava a embreagem e tentava coordená-la com o acelerador. Nas primeiras vezes, quase joguei meu instrutor contra o para-brisa do carro. Agora, após 28 anos de prática, é muito difícil acontecer isso. Assim como leva tempo aprender a dirigir um carro também leva tempo conhecer seu cônjuge. Portanto, se você ficar desapontado nas primeiras experiências, pensando que não era como você havia idealizado, não desanime, porque isto é natural. Provavelmente a esposa não terá um orgasmo na primeira experiência, e se isto for o caso, ela não deve se preocupar, nem o marido. Há uma membrana na abertura da vagina que provavelmente será rompida quando o pênis entrar nela. Isto pode ser um pouco doloroso para a esposa. Por isso, há necessidade de o marido tomar muito cuidado e demonstrar muita paciência e compreensão, especialmente nas primeiras experiências.

Em Gênesis 4:1, a Bíblia nos diz, referindo-se à experiência sexual de Adão e Eva: *Adão conheceu intimamente Eva, sua mulher; ela engravidou...* A Bíblia se refere a este ato com a palavra "conhecer". Realmente este é o alvo principal da lua de mel. No namoro e noivado, há um conhecimento emocional, espiritual e mental e, até certo ponto, físico; mas no casamento o "conhecer" é total. Isto leva tempo. E o tempo mais importante são justamente as primeiras semanas.

O marido começa a descobrir o corpo da sua esposa, conhecer as áreas eróticas, os tipos de carícias que a excitam mais na preparação para o ato conjugal, no que deve gastar bastante tempo, antes do ato sexual em si. Naturalmente eu me refiro também à mulher descobrindo o corpo do homem. Este é um "conhecer" maravilhoso, e se o casal procura este conhecimento antes do casamento, pode acabar num desastre emocional e mental.

1. A lua de mel não deve ser planejada de forma a aproveitar a viagem para resolver negócios da firma ou ministério. Este é um tempo tão importante que merece ser 100% do casal. A lua de mel

que é adiada para mais tarde não é mais lua de mel. Seriam apenas férias de um casal. Portanto, se você não pode tirar uma ou duas semanas de férias, então espere até ter algum tempo disponível para casar.

2. É importante verificar sempre que haja privacidade. Especialmente a esposa saber que a porta está trancada e que ninguém vai se intrometer. O casal precisa ter aquela plena segurança de que eles estão sozinhos e que o amor expressado pelo ato conjugal é somente para eles.

3. Uma das coisas importantes a ser lembrada, não somente na lua de mel, mas durante toda a vida conjugal, é a higiene. Quantas mulheres com as quais tenho conversado não têm tido jeito ou coragem de comunicar a seus maridos a dificuldade que elas têm em desfrutar a expressão sexual com eles porque seus maridos não cheiram bem. Nem sempre esse é o problema da esposa, mas também há maridos que reclamam em alguns casos. Por isso, é necessário tomar banho antes do contato físico. Às vezes, o casal tem o hábito de tomar banho a certa hora do dia. Provavelmente não há necessidade de tomar outro banho antes do ato. Estou simplesmente enfatizando a importância de que haja higiene.

4. Em nossa cultura, acha-se que o homem sempre tem de iniciar o período de despertamento sexual. Provavelmente o homem vai querer tomar a liderança nesse particular, como ele deve tomar em outras áreas do casamento. Mas não é

necessário que o homem seja o líder. É perfeitamente possível que a esposa demonstre interesse. Tenho, inclusive, descoberto no meu aconselhamento que muitos maridos gostariam que suas esposas demonstrassem mais agressividade. Não existe o certo e o errado nisso. Tudo depende do que o casal quer. Portanto, há uma grande necessidade de comunicação a esse respeito.

5. Existem três períodos no ato conjugal que eu quero abordar. Primeiramente, o período do despertamento ou "jogo do amor". Esse período de despertamento é de grande importância. Sem ele o casal não pode desfrutar o prazer do ato. O período de despertamento varia entre homem e mulher e, também, de mulher para mulher e de homem para homem. Muitas mulheres podem ser levadas ao ponto do orgasmo em 10 minutos; outras precisam de 20 a 30 minutos. Mas, o que é importante é reconhecer – e isto é indispensável para o marido – que a mulher leva um tempo prolongado para ser despertada a ponto de experimentar o clímax. O homem se excita rapidamente. Geralmente, o problema dele é se controlar até sua esposa estar sexualmente preparada.

Eu mencionei anteriormente que talvez a esposa não possa experimentar o orgasmo nas primeiras experiências, e pode acontecer que o marido tenha uma ejaculação antes de penetrar na vagina da sua esposa, por falta de experiência e autocontrole. Essa é mais uma área que exige experiência. Se acontecer alguma coisa errada na primeira noite, o casal não deve levar isso tão a sério, a ponto de considerar a experiência um fracasso. Conversar abertamente sobre o assunto pode fazer muito para aprofundar o amor do jovem casal.

O período de despertamento não começa na cama. Ele deve começar de manhã, quando o marido beija sua esposa antes de sair para o serviço. Palavras de carinho durante o dia, ou uma carícia especial, de que ela goste, preparam o casal emocionalmente para o ato sexual à noite.

Muitos casais desenvolvem uma linguagem especial para se comunicar, mesmo quando os filhos estão por perto. Para a mulher, o ato físico é também um ato muito emocional. Com isto não estou dizendo que o homem não se emociona. Creio, porém, que haja uma ligação mais íntima entre a parte emocional e física na mulher do que no homem. Quero dar uma ilustração disso. Imagine que um casal recém-casado tem a sua primeira briga de manhã. Mas logo o marido confessa que estava errado, se for o caso, pede perdão e a esposa diz que o perdoa. Muito bem. Chega a noite, ele quer ter relacionamento sexual, mas ela não sente desejo. A primeira dedução dele é que ela não o perdoou. É provável que ela o tenha perdoado, mas encontra dificuldade em desejar o relacionamento físico. Aquilo que aconteceu de manhã foi um abalo no estado emocional dela, que ela leva tempo para vencer. O marido já é bem diferente. Ele pode ser abalado emocionalmente por alguma razão, mas aquilo passa logo, e ele não tem mais nenhum bloqueio para a relação sexual. Portanto, é fundamental cuidar do relacionamento.

Durante o período de despertamento, a esposa nunca deve ficar preocupada com o marido, mas deve concentrar-se no próprio despertamento, nas carícias do seu marido. O desejo do marido deve ser possuir, no bom sentido, conquistar a sua esposa, enquanto o desejo maior da esposa é render-se ao amor, atenção, carinho e ser possuída por ele.

A seguir vem justamente o momento do clímax (orgasmo). Esse é um período de satisfação máxima. Do ponto de vista dos médicos, está provado que a mulher pode ter até mais orgasmos que o homem, o que também demonstra que ela é tão sexual quanto ele. É ideal o casal poder ter o orgasmo juntos, mas não há nenhuma regra que diga que tem de ser assim. Em alguns casos só será possível conseguir o clímax juntos quando o casal já tiver certa experiência. A respeito da posição no ato, eu diria que tudo é lícito, desde que um não viole a consciência do outro. O que pode ser agradável para um pode ser desagradável para o outro.

Portanto, há necessidade de cada um sempre dizer o que pensa e sente, para, depois de alguma experiência, determinar que posição traz mais satisfação para os dois – isto é determinado pelo casal.

Em todo este ato maravilhoso é tremendamente importante observar o princípio do amor "ágape" (amor de Deus). Se o amor "ágape" está permeando o amor "eros" (amor sexual), não haverá problemas de ajustamento porque *O amor é paciente; o amor é benigno. Não* é *invejoso; não se vangloria,* não se orgulha, não se porta com indecência, *não busca os próprios interesses, não se enfurece, não guarda ressentimento do mal;* [...] *tudo sofre, tudo crê, tudo espera, tudo suporta.* Não há lugar no casamento, especialmente nesta área, para demonstrar egoísmo.

Após a fase do despertamento e do clímax vem a fase do esfriamento. Depois do orgasmo, o marido terá a sensação de saciação e até de exaustão. Ele deseja dormir, porque usou a sua força física. Mas é importante que ele saiba que, como sua esposa levou um período mais prolongado para despertar, também o período de esfriamento é mais longo. Como um alpinista que sobe a montanha chega ao topo e quer ficar um pouquinho lá, gozando as lindas paisagens, também a esposa não tem pressa em descer. Nesta hora, a maior necessidade dela é ser abraçada pelo marido que, com palavras e carícias, deve demonstrar o seu amor por ela.

Se ele se afastar dela imediatamente depois do clímax, virar as suas costas e dormir, a maravilha deste momento é quebrada, como se fosse uma luz que se apaga, e a esposa se sentirá um objeto de prazer nas mãos do marido. Ela até pode desenvolver sentimentos de hostilidade em seu coração. O marido parece ser um ladrão, que rouba o corpo e o coração dela e foge. Portanto, marido, cuidado em prolongar o período de esfriamento.

A esposa também precisa entender que o marido está cansado e tem desejo de dormir. Em alguns casos, o casal quer repetir este ato mais tarde, depois de ter dormido nos braços um do outro. Quando se unirem pela segunda vez em uma só noite, geralmente é mais fácil para o marido prolongar o jogo do amor, porque já houve um alívio sexual algumas horas antes.

Quero frisar novamente que não há regras fixas a respeito de comportamento relacionado com a frequência, a posição, o lugar etc. Duas regrinhas, porém, quero mencionar: a primeira é que o amor "ágape" precisa permear o relacionamento. A outra é nunca violar a consciência do outro.

Um casal falou comigo que depois do ato sexual eles se sentem mais perto do Senhor e têm o desejo de orar. Outros casais têm-me falado que a oração e sexo não combinam. Infelizmente eles separam a sua vida sexual da sua vida espiritual. Isto é um grande erro. Lembre-se: o ato sexual é tão espiritual quanto emocional e físico. Deus é o Senhor de todas as áreas da nossa vida. Ele quer participar conosco em todas as nossas experiências, e isto também é verdade com o ato maravilhoso do relacionamento físico no casamento.

> *Beije-me ele com os beijos da sua boca, pois seus afagos são melhores do que o vinho. Suave é a fragrância dos teus perfumes; teu nome é como o perfume que se derrama. Por isso as jovens te amam* (Cântico 1:2,3).

> *Sustentai-me com passas, confortai-me com maçãs, pois estou doente de amor. O seu braço esquerdo ampare a minha cabeça, e o seu braço direito me abrace* (Cântico 2:5,6).

> *Quão deliciosos são os teus afagos, minha irmã, noiva minha! Teus afagos são melhores do que o vinho! E a fragrância dos teus perfumes supera a todos os aromas de especiarias. Os teus lábios, noiva minha, são favos que destilam o mel...* (Cântico 4:10,11).

> *Como são bonitos os teus pés calçados com sandálias, ó filha de príncipe! As curvas dos teus quadris são como joias, obra das mãos de um artista.* [...] *Os teus seios são como dois filhotes de corça, gêmeos da gazela. O teu pescoço é como uma torre de marfim; os teus olhos como as piscinas de Hesbom, junto à porta de Bate-Rabim; o teu nariz é como a torre do Líbano, voltada para Damasco* (Cântico 7:1-4).

Põe-me como selo sobre o teu coração, como selo sobre o teu braço; porque o amor é forte como a morte; a paixão tão inflexível quanto a sepultura; a sua chama é chama de fogo, labareda flamejante (Cântico 8:6).

Deus de amor, tu estabeleceste o casamento para o bem-estar e a felicidade da humanidade. Teu foi o plano e somente contigo podemos realizá-lo com alegria. Tu mesmo disseste: 'Não é bom que o homem esteja só; eu lhe farei uma auxiliadora que lhe seja adequada'. Agora nossas alegrias estão duplicadas, pois a felicidade de um é a felicidade do outro. Nossos fardos agora estão divididos, desde que nós os compartilhamos. Portanto, Pai, abençoa este marido. Abençoa-o como aquele que vai prover a esposa de alimento e vestuário, e sustenta-o em todas as lutas e pressões na sua batalha pelo pão. Seja a sua força a proteção dela, e o seu caráter, o orgulho dela. Que ele viva de tal maneira que ela encontre nele o abrigo que o seu coração sempre desejou.

Pai, abençoa também esta esposa. Dá-lhe uma ternura que a faça conhecida, um profundo senso de compreensão e uma grande fé em ti. Dá a ela aquela beleza interior de alma que nunca desaparece, aquela eterna juventude que se mantém por essas qualidades que nunca envelhecem. Ensina-a que o casamento não é meramente viver um para o outro – são duas mãos juntas e unidas para servir-te.

Dá-lhes um grande propósito espiritual na vida. Que eles possam buscar em primeiro lugar o reino de Deus e a sua justiça, e todas as coisas lhes serão acrescentadas. Que eles não esperem encontrar um no outro aquela perfeição que pertence somente a ti. Que eles estejam prontos a se perdoar nas fraquezas e a valorizar seus pontos fortes, vendo um ao outro com amor e paciência. Que todas estas coisas sejam feitas de acordo com a tua vontade.

Ó querido Deus, dá a este casal lágrimas suficientes para conservá-los sensíveis; provações, para conservá-los humanos; faze-os fracos para conservarem suas mãos atadas às tuas, e enche-os de felicidade para que tenham certeza de que estão caminhando contigo. Que eles nunca desvalorizem o amor de um pelo outro, mas experimentem, sempre, o maravilhoso sentimento que exclama: 'Entre todos os outros deste mundo, você me escolheu!'

Quando a vida terminar, e o sol se puser, que eles possam ser encontrados, tal como agora, ainda de mãos dadas, ainda agradecendo a Deus um pelo outro. Que eles possam te servir contentes, fiéis, juntos, até o dia em que um deles entregue o outro nas tuas mãos santas. Isso pedimos por Jesus Cristo, a fonte do verdadeiro amor. Amém!

Capítulo 10

Masturbação: pecado ou não?

Ou não sabeis que o vosso corpo é santuário do Espírito Santo, que habita em vós, o qual tendes da parte de Deus, e que não sois de vós mesmos? Pois fostes comprados por preço; por isso, glorificai a Deus no vosso corpo.
(1Coríntios 6:19,20)

Quero dedicar este capítulo ao assunto "masturbação". Quero abrir o jogo para um assunto que tem ficado encoberto por muito tempo. A igreja tem evitado uma confrontação aberta sobre este problema. Nosso silêncio não tem sido cristão. Na verdade, tem sido covarde e prejudicial. Temos abandonado muitos jovens sinceros à mercê dos próprios prazeres, ansiedades e sentimentos de culpa. Nos meus seminários com jovens brasileiros tenho ouvido perguntas como: "Masturbação é pecado?", "Faz mal à saúde?", "O que diz a Bíblia a respeito da masturbação?", "Até que ponto a maturbação é, ou não, normal para um crente?", "Quando uma pessoa se masturba, está pecando só com seu corpo?" Essas são algumas perguntas que representam as ansiedades, frustrações e dúvidas dos jovens.

Uma moça me escreveu um bilhete em um dos meus seminários com a seguinte pergunta: "Tenho um problema na minha vida. Comecei a ter relação sexual com 12 anos. Tive uma série de problemas quando entreguei minha vida ao Senhor. Solucionei meu problema de sexo ilícito, só que agora tenho me masturbado. O que devo fazer para parar com isso?"

Nem sempre dar uma resposta simples, como por exemplo "A masturbação é pecado e você tem que largá-la", vai ajudar o jovem que luta com este problema. Ao abordar este assunto, quero fazer algumas observações gerais; buscar na Palavra de Deus alguns princípios para que saibamos se este ato é pecado ou não e, ainda, fazer algumas sugestões sobre como o jovem pode vencer este problema.

Serei bem franco com os rapazes e moças, porque este é um problema não somente deles, mas delas também. De fato, os rapazes enfrentam mais dificuldades nesta área do que as moças. A maior razão disso é a dinâmica biológica do impulso sexual do homem.

> *Em um jovem sadio, cada testículo produz continuamente espermatozoides e os lança para o epidídimo. O epidídimo é um tubo em espiral ligado à extremidade superior de cada testículo. É, na realidade, um reservatório temporário para os espermatozoides. Quando o reservatório está cheio, o esperma é impelido para fora de cada epidídimo através dos respectivos canais condutores para dois reservatórios no interior do corpo, chamados vesículas seminais.*

> *Quando as vesículas seminais estão cheias, o impulso sexual da pessoa desperta e precisa ser aliviado. É necessário dizer que o impulso sexual masculino não é apenas biológico, consistindo em produção de esperma e alívio posterior. Se esse fosse o caso, como seria triste a vida tanto para o homem como para a mulher! O impulso sexual masculino é também mental, emocional e espiritual. No entanto, a dinâmica biológica do impulso sexual masculino é real. O cristão maduro deve encarar o fato de que a natureza exige um alívio.* (*HERBERT, J. Miles. Sexual Understanding Before MarriageI*) [Compreensão do sexo antes do casamento]

Talvez surja a pergunta: "Se a dinâmica biológica do rapaz é diferente da dinâmica biológica da moça, será que este também é um problema para elas?" Realmente, as moças não têm tanta dificuldade, falando de modo geral, em conseguir autocontrole sexual. Isso é verdade, especialmente quando comparamos os impulsos sexuais dela com os do homem. Para o jovem, a sua sexualidade fala bem alto, exigindo expressão. Para a moça, a sexualidade também é real, mas é algo bem mais profundo no seu ser durante os dois ou três primeiros anos de puberdade. É somente pelas circunstâncias estimulantes que ela começa a se expressar ou a sentir que é uma pessoa sexual. Conhecendo este fato, ela precisa começar a manter autocontrole sexual.

Nas minhas conversas com os jovens, tenho ficado impressionado com a honestidade e abertura que eles demonstram em procurar resolver o problema da masturbação. Alguns acham que é uma doença; outros, que a prática desse ato é fisicamente prejudicial. A masturbação não é uma doença.

É um sintoma, uma dica de um problema emocional mais profundo. Muitas vezes, o problema básico não é de origem sexual. Este é simplesmente um sintoma. Geralmente as pessoas trazem, no íntimo, sentimentos de insatisfação com elas mesmas, bem como frustrações por causa de desejos e sonhos não realizados. A tendência da pessoa é tentar satisfazer estes sentimentos num momento, por um curto prazer sexual. Mas o desejo de satisfação ou realização não é alcançado, e é precisamente por esta razão que uma pessoa é tentada a repetir este ato. Desta maneira, torna-se um círculo vicioso.

Quanto mais insatisfação, maior a tentação. E quanto mais o jovem se entrega a este prazer, mais ele experimenta a insatisfação. O jovem se sente cada vez mais apertado pelas cadeias e por isso vêm as frustrações, os sentimentos de culpa e a derrota na vida cristã.

Antes de mais nada, quero dar uma definição deste ato. Masturbação é a estimulação manual dos órgãos genitais para obter prazer sexual. Outro nome dado é autoerotismo, isto é, experimentar prazer sexual sem um parceiro.

Nos meus estudos sobre este assunto, tenho encontrado basicamente cinco opiniões dos crentes a respeito da masturbação. Creio que é importante compartilhar estes pensamentos com você. Primeiramente, do lado conservador, a masturbação é sempre e totalmente condenável. Nenhuma explicação é dada sobre o porquê de ser uma coisa má. Infelizmente, esta tem sido a opinião de muitos conservadores. Geralmente as respostas que eles dão aos jovens que procuram resolver a frustração e agonia deste problema são vulgares e superficiais, e não ajudam o jovem em nada na solução do problema.

Uma segunda opinião é que a masturbação é uma coisa errada por não atingir o propósito ideal, ou seja, o padrão que

Deus estabeleceu. O plano de Deus é que duas pessoas casadas expressem o seu amor mútuo e desfrutem dele pelo ato sexual. A sexualidade é um meio de comunicação com outra pessoa. A masturbação é uma comunicação consigo mesmo, porque nunca receberá uma resposta. O desejo procura um quarto vazio e o silêncio é a resposta. Torna-se uma expressão individual. Não há palavras dirigidas a outra pessoa. O coração do homem deseja um relacionamento com outra pessoa, e não simplesmente a satisfação de uma paixão física.

Uma terceira opinião é que a masturbação não é boa nem má. É uma questão de liberdade cristã, isto é, cada indivíduo deve definir-se diante de Deus. Este ponto de vista é moderado. Mas se uma pessoa aceita ou encara a masturbação deste modo, ela precisa descobrir alguns princípios bíblicos para que possa formar uma base bíblica e tomar uma decisão correta.

Do lado mais liberal, há duas opiniões: a primeira é que a masturbação é uma forma legítima de aliviar o impulso sexual; a outra é que a masturbação é um dom de Deus que ajuda no desenvolvimento total da pessoa na sua juventude. Devo dizer também que a maior parte dos livros seculares apresenta uma dessas duas opiniões como a maneira certa de encarar a masturbação.

Para que possamos formar uma ideia bíblica sobre este assunto, que nos dará uma base para tomarmos uma decisão, eu gostaria de abordar algumas considerações importantes:

Nossa sexualidade foi criada por Deus

O sexo e os desejos sexuais não constituem pecado em si. Nossa sexualidade nos foi dada como uma bênção de Deus para o bem-estar do homem. Naturalmente, quando eu falo da "expressão sexual" ou do "desfrutar do prazer do sexo", estou me referindo ao relacionamento sexual no ato conjugal. É importante frisar o fato de que Deus nos criou seres sexuais (Gênesis 1:31). Quando Deus criou o homem e a mulher, macho e fêmea, o registro de Gênesis diz: [...] *tudo quanto fizera, e era muito bom...*

"Será que a masturbação é fisicamente prejudicial?"

Por meio de fábulas, estórias e contos, o jovem tem sido mal orientado nesta área da vida. No passado pensava-se que a masturbação era causadora de impotência, tanto no homem como na mulher, e também de: loucura, surdez, cegueira, epilepsia, deterioração do cérebro, olhos fracos, acne e incapacidade de resposta sexual durante o ato conjugal. Não há base, medicamente falando, para nenhuma dessas suposições. No entanto, eu tenho descoberto que, em alguns casos extremos, a prática prolongada deste ato durante a adolescência e início da idade adulta pode causar alguma incapacidade de resposta no ato sexual.

Pode ser que não haja nada fisicamente prejudicial neste ato, mas certamente ele pode tornar-se um problema psicológico e espiritual

Quero sugerir pelo menos cinco áreas em que a masturbação pode ser prejudicial:

1. O problema do *escapismo*, ou seja, a incapacidade de enfrentar qualquer situação difícil na vida. Como a droga pode se tornar um meio de escape para não ter que enfrentar uma circunstância triste ou difícil na vida, também, por alguns momentos de prazer, o jovem pode entrar no mundo da fantasia erótica. Naturalmente, esta não é a maneira de enfrentar um problema emocional ou espiritual. Portanto, a prática deste ato para levar o jovem a um mundo irreal não é a maneira certa de lidar com situações reais.

2. O jovem tem de lidar com o problema da *culpa*. Não é possível viver uma vida cristã vitoriosa sem tratar do sentimento de culpa. Tenho conversado com muitos jovens que lutam para conseguir vitória sobre o ato da masturbação. Entretanto, um dos principais problemas relacionados com este ato é o problema da culpa. Ninguém pode viver com este inimigo sem lidar com ele. Portanto, o jovem tem de chegar a uma conclusão: é pecado? Se é pecado, ele deve confessá-lo, concordar com Deus, reconhecendo que a sua culpa está baseada na quebra do relacionamento entre ele e seu Deus, e procurar o perdão dele. Se não é pecado, então ele deve aceitar este ato como uma coisa natural da sua vida sexual. Mas, se o jovem vive com o peso da culpa sobre os seus ombros, algo não está certo, porque ele nunca poderá desfrutar da vida abundante, da alegria do Senhor e do poder e ousadia para testemunhar.

3. De meu ponto de vista, a maior dificuldade em se lidar com a masturbação como problema psicológico e espiritual, diz respeito à nossa *vida mental.* A masturbação pode ser praticada ao mesmo tempo que se obedece a Mateus 5:28 e Êxodo 20:17. Em Mateus 5:28, Jesus está como autoridade sobre a lei, e está reinterpretando a velha lei judaica. O judeu encarava o adultério somente no ato. Agora, porém, Jesus nos dá não somente a letra da lei, mas o espírito dela, dizendo que o homem pode pecar tanto no ato quanto na mente. Ele nos diz: [...] *todo aquele que olhar com desejo para uma mulher já cometeu adultério com ela no coração.*

É errado alguém se imaginar numa relação sexual com qualquer pessoa que não a sua esposa ou o seu marido. É importante observar onde se localiza o adultério: no coração, ou seja, no centro do ser humano, nos seus propósitos, motivos, vontade e escolhas. Quando Jesus falou "com desejo", obviamente não se referiu a um desejo sexual ou a uma imagem mental involuntária, ou seja, àquelas imagens que repentinamente aparecem na mente sem serem produto de um pensamento proposital ou de uma atividade mental prévia. Este adultério no coração acontece por mensagens mentais voluntárias, ou seja, aquelas imagens que resultam de pensamentos intencionais, decisões e escolhas. Em Êxodo 20:17, um dos Dez Mandamentos é: [...] *não cobiçarás a mulher do teu próximo...*

Para cobiçar alguém ou alguma coisa, para desenvolver uma imagem "com desejo", precisa-se engrenar a mente. Para ter uma experiência de autoerotismo, a mente desenvolve pensamentos propositais, imagens eróticas e fantasias para com alguém. Considerando o problema da vida mental e a masturbação, o jovem tem de concordar que este ato se torna um problema emocional e espiritual para ele.

4. Este ato se torna *um problema emocional e espiritual* quando chega a ser um hábito a ponto de exercer controle sobre o indivíduo. Qualquer coisa que se levanta como "a mais importante" torna-se um ídolo na nossa vida. Paulo afirma que o nosso corpo é o santuário do Espírito Santo. Fomos comprados por alto preço. Devemos glorificar a Deus por meio do nosso corpo: *Ou não sabeis que o vosso corpo é santuário do Espírito Santo, que habita em vós, o qual tendes da parte de Deus, e que não sois de vós mesmos? Pois fostes comprados por preço; por isso, glorificai a Deus no vosso corpo* (1Coríntios 6:19,20).

5. A masturbação pode-se tornar um problema emocional e espiritual é quando *ela viola a liberdade cristã.* Em Romanos, o apóstolo Paulo está tratando do assunto de coisas duvidosas para as quais não temos uma palavra específica. Na verdade, a palavra "masturbação" não se encontra na Bíblia. Como podemos saber a vontade de Deus em situações assim? Paulo nos dá a conclusão do seu argumento com as seguintes palavras: *Feliz é aquele que não se condena naquilo que aprova. Mas o que tem dúvidas é condenado* [...] *pois o que*

ele faz não provém da fé; e tudo que não provém da fé é pecado (Romanos 14:22,23).

Às vezes, nossas dúvidas provêm de uma bagagem que nós recebemos dos nossos pais ou da igreja. Nem sempre a razão das dúvidas tem base bíblica. Em outras palavras, nem tudo que nós recebemos por meio do ensino dos nossos pais ou da igreja é correto. Portanto, precisamos examinar as Escrituras para que possamos captar o ponto de vista de Deus sobre todas as áreas da nossa vida, incluindo o assunto "masturbação". Mas, se depois de ter examinado as Escrituras e ter descoberto os princípios relacionados com este ato, chegarmos à conclusão de que a questão diz respeito à liberdade cristã, a pergunta que temos de fazer é a seguinte: "Será que ainda existe alguma dúvida? A minha consciência ainda me condena? Será que provém de fé?"

Como já falei, pode ser que a masturbação não seja prejudicial fisicamente, mas, emocional e espiritualmente, ela pode ser um problema. Eu mencionei o problema do escapismo, da culpa, da nossa vida mental relacionada com este ato, do hábito e da violação da consciência na área da liberdade cristã. A sua decisão tem que estar baseada numa séria meditação sobre os princípios mencionados. Mas antes de você tomar uma decisão, quero fazer ainda mais algumas observações:

Há médicos (crentes e não crentes) que recomendam a masturbação em algumas situações

Recomendam-na para maridos cujas esposas estejam incapazes de ter um relacionamento sexual normal no casamento, tais como: nos períodos antes e depois do nascimento do filho, doenças, ciclo menstrual, e para maridos que estejam separados de suas esposas durante muito tempo por motivo de trabalho ou outras razões. A ideia básica é que a masturbação é muito melhor do que a promiscuidade. Os maridos devem praticar este ato para obter alívio físico, tendo seus pensamentos voltados para a sua esposa. Recomendam-na também para viúvos e viúvas que, repentinamente, por uma razão ou outra, perderam seu parceiro, e, consequentemente, terminaram de maneira abrupta uma vida sexual ativa.

A divina providência para o alívio sexual para o homem, isto é, as emissões seminais noturnas

A dinâmica biológica do homem exige um alívio, como o botão da panela de pressão precisa ser tocado para soltar a pressão. Na medida do possível, o rapaz deve depender dessas eliminações noturnas que ocorrem durante o sono. O Criador deu para o rapaz um impulso sexual, mas deu também um alívio automático por um orgasmo sexual, isto é, uma ejaculação de sêmen. Enquanto estou falando sobre alívio, gostaria de mencionar o uso da *sublimação*. Sublimação é o processo de despender ou queimar energia sexual por exercícios físicos e mentais, atividades e projetos diversos. Todo jovem deve ter uma atividade esportiva ou projeto criativo para desviar a sua atenção na hora da provocação ou estimulação dos impulsos sexuais.

"O que a Bíblia fala a respeito deste ato?"

A palavra "masturbação" não é mencionada nas Escrituras Sagradas. Há duas passagens mal interpretadas que têm sido usadas por algumas pessoas no passado: Gênesis 38:8-10 e 1Coríntios 6:9-11. Na primeira passagem, duas frases são usadas para a condenação deste ato: [...] *derramava o* sêmen *no chão* [...]. *E o que ele fazia era mau aos olhos do* SENHOR... Num estudo cuidadoso desta passagem, descobrimos que, quando o irmão mais velho de Onã morreu, o seu pai, Judá, instruiu Onã para que possuísse Tamar, a esposa do irmão morto, e suscitasse uma descendência para seu irmão, conforme a lei do levirato. Quando Onã tinha relação sexual com Tamar, ele praticava o *coitus interruptus*, isto é, retirava o pênis da vagina na hora do orgasmo, deixando o sêmen cair na terra. O que desagradou a Deus foi a desobediência de Onã em não cumprir uma lei que Deus havia dado. Obviamente, a masturbação não está envolvida neste texto.

Na segunda passagem, 1Coríntios 6:9,10, a palavra "sodomitas" (cf. *ARA*) tem sido interpretada como masturbadores. Sodomitas eram as pessoas que moravam em Sodoma. Os sodomitas eram homossexuais. Por causa da iniquidade da cidade, Deus a destruiu. Temos o registro deste acontecimento em Gênesis 19:1-29. Tendo em mente as considerações prévias, devo concluir que a masturbação é errada quando:

- Torna-se uma fuga da realidade da vida.
- Cria um problema de culpa e, consequentemente, causa derrota na vida cristã.
- Quebra o princípio de Mateus 5:28 e o décimo mandamento.
- Torna-se um hábito a ponto de exercer controle sobre o individuo.
- Viola a consciência na área da liberdade cristã (Romanos 14).

No capítulo 7, eu já abordei algumas sugestões e atitudes que devem ajudar o jovem no controle dos seus impulsos sexuais. Quero apenas destacar, mais uma vez, algumas das sugestões que dei, as quais poderão ajudar o jovem a vencer o problema da masturbação.

1. É impossível aplicar qualquer princípio aqui apresentado sem o poder ou o dinamismo do Espírito Santo, o qual nos capacita a viver de maneira sobrenatural. Portanto, tenha certeza de que Jesus Cristo é o seu Salvador e Senhor pessoal. Este é o ponto crucial, sem o qual não é possível colocar os outros princípios em prática.

2. Reconheça o conflito que há em você quando entrega a sua vida ao senhorio de Cristo. Você ainda se lembra da ilustração dos dois cachorros? Se você alimentar o cachorro preto, que na nossa ilustração é a velha natureza, certamente ela vencerá em sua vida. Quando estamos diariamente submetendo a nossa vida à obra do Espírito Santo e procurando nos disciplinar na obediência da Palavra, ele cada vez mais nos dará a vitória.

3. Talvez o ponto mais importante para vencer o problema da masturbação seja o controle da sua mente. Numa pesquisa que realizei, uma das perguntas que fiz foi a seguinte: "Quando você é mais tentado a se masturbar?" A opção mais assinalada foi: "Quando desenvolvo fantasias eróticas na minha mente".

Salomão expressou uma verdade muito importante, quando disse: *Porque, como imagina em sua alma, assim ele é...* (Provérbios 23:7, *ARA*). Somos o produto dos nossos pensamentos. Quando seus pensamentos começarem a voar para áreas de fantasias eróticas, imediatamente você deve rejeitá-los e pôr no lugar deles pensamentos puros, amáveis, justos, como apóstolo Paulo nos exorta em Filipenses 4:8,9: *Quanto ao mais, irmãos, tudo o que é verdadeiro, tudo o que é honesto, tudo o que é justo, tudo o que é puro, tudo o que é amável, tudo o que é de boa fama, se há alguma virtude, e se há algum louvor, nisso pensai. O que aprendestes, recebestes, ouvistes e vistes em mim, tudo isso praticai; e o Deus da paz será convosco.*

Esta é uma disciplina dura que não pode ser desenvolvida da noite para o dia.

4. Não se coloque em situações nas quais você pode ser tentado além das suas forças. A Palavra de Deus nos promete em 1Coríntios 10:13: *Não veio sobre vós nenhuma tentação que não fosse humana. Mas Deus é fiel e não deixará que sejais tentados além do que podeis resistir Pelo contrário, juntamente com a tentação providenciará uma saída, para que a possais suportar.*

   Deus é fiel e providenciará um meio de escape se nossas antenas estiverem ligadas. O nosso problema, às vezes, é que nós gostamos do pecado e, portanto, andamos na beirinha do barranco, ao invés de ficarmos em segurança, longe dele. Não fique sozinho por longos períodos porque, sozinho, Satanás pode facilmente trazer pensamentos à sua mente. O velho ditado se aplica aqui: "Mente vazia, oficina do Diabo".

5. A última sugestão é confessar seus pecados. Sentir- -se acusado e derrotado pelo inimigo somente trará mais derrota e sentimentos de culpa. Portanto, aproveite a provisão de Deus quando pecar. *Meus filhinhos, eu vos escrevo estas coisas para que não pequeis; mas, se alguém pecar, temos um Advogado junto ao Pai, Jesus Cristo, o justo. Ele é a propiciação pelos nossos pecados, e não somente pelos nossos, mas também pelos pecados de todo mundo* (1João 2:1,2).

   Aceite o perdão que Deus lhe oferece por meio da obra de Jesus Cristo na cruz. Perdoe-se a si mesmo e tome o firme propósito de abandonar este pecado. Não se esqueça: nós lidamos com um Deus que nos ama e entende perfeitamente todas as nossas lutas e tentações.

Senhor, estou atormentado com meus impulsos sexuais. Parece que, às vezes, perco o controle e me sinto profundamente angustiado porque sei que Satanás foi vitorioso e, com isso, te entristeci. Senhor, eu quero viver cada momento com pensamentos puros e um comportamento agradável aos teus olhos. Sinto-me, Senhor, como o apóstolo Paulo, quando ele disse: 'Não entendo o que faço, pois não pratico o que quero, e sim o que odeio'. Novamente eu me submeto ao teu senhorio. Aceito o sangue de Jesus que me purifica de todo pecado, e peço que tu me ajudes a dizer 'não' ao inimigo da minha alma. Em nome de Jesus, amém!

Capítulo 11

Homossexualidade e lesbianidade

Vivamos de modo decente, como quem vive de dia: não em orgias e bebedeiras, não em imoralidade sexual e depravação, não em discórdias e inveja. Mas revesti- -vos do Senhor Jesus Cristo; e não fiqueis pensando em como atender aos desejos da carne.
(Romanos 13:13,14)

Anos atrás, a revista "Manchette" publicou uma pesquisa feita entre jovens paulistas e cariocas, de 16 a 22 anos, sobre vários aspectos da vida. Quatro perguntas da pesquisa foram dedicadas ao assunto "homossexualidade e lesbianidade". Uma questão dizia: "Para você, homossexualidade é..." Fiquei assustado com as respostas dadas a essa questão: 32% dos homens e 39% das mulheres entrevistados disseram que a homossexualidade é uma opção de vida.

Outra pergunta foi: "Você acha que a homossexualidade deve ser tolerada ou combatida?" Desta vez, 51% dos homens e 50% das mulheres colocaram que a homossexualidade deve ser tolerada.

Esta pesquisa revela o quanto a homossexualidade e a lesbianidade estão sendo aceitas pela sociedade brasileira como uma "opção de vida". Não devemos nos enganar, pensando que isso atinge somente as pessoas incrédulas. Na verdade, o Diabo está colocando essas tentações também na vida do jovem crente. Por isso creio que há necessidade de uma breve abordagem deste assunto, esclarecendo os perigos deste comportamento, mostrando o que diz a Palavra de Deus a esse respeito, e dando algumas sugestões precavendo o jovem contra as ciladas do Diabo em relação a este ato.

Iniciarei com algumas definições: "Homossexualidade é o estado em que uma pessoa tem desejos sexuais por alguém do seu sexo". Homossexual é aquele que se sente sexualmente atraído por alguém do seu sexo em vez de por alguém do sexo oposto. *Homossexual latente* é a pessoa capaz de suprimir e controlar os seus desejos e interesses por alguém de seu sexo. *Homossexual patente* é o que mantém práticas sexuais com pessoas de seu sexo. *Lésbica* é uma mulher homossexual.

Observações gerais sobre a homossexualidade:

Qual é a atitude de Deus a respeito deste procedimento?

Sem errar, podemos afirmar categoricamente que a Palavra de Deus condena de maneira clara essa prática, como pecado. Com efeito, Romanos 1:24-27 diz: *É por isso que Deus os entregou à impureza sexual, ao desejo ardente de seus corações, para desonrarem seus corpos entre si; pois substituíram a verdade de Deus pela mentira e adoraram e serviram à criatura em lugar do Criador, que* é bendito eternamente. Amém. *Por isso, Deus os entregou a paixões desonrosas. Porque até as suas mulheres substituíram as relações sexuais naturais pelo que é contrário à natureza. Os homens, da mesma maneira, abandonando as relações naturais com a mulher, arderam em desejo sensual uns pelos outros, homem com homem , cometendo indecência e recebendo em si mesmos a devida recompensa do seu erro.*

Nesse texto, o apóstolo Paulo dá as razões pelas quais a homossexualidade é pecado. Ele discute a homossexualidade no contexto de uma civilização que havia voltado suas costas para Deus. Tiveram tal sucesso em torcer as coisas que o que era "natural" foi mudado para "não natural". Provavelmente, ele estava pensando na Criação em Gênesis, quando Deus fez o homem à sua imagem, macho e fêmea. Somos pessoas sexuais e isso é o que é natural. O sexo foi feito para ser gozado entre macho e fêmea. A homossexualidade não leva os machos a serem machos e as fêmeas a serem fêmeas, porque macho e fêmea só têm algum significado quando estão em relacionamento entre si.

Aprendemos algo sobre nós mesmos e sobre Deus por meio da maravilhosa atração erótica e do ato sexual entre macho e fêmea. Nossa identidade verdadeira em Cristo não é homossexual, mas heterossexual. O foco sexual de nossas vidas deve ser o sexo oposto. A palavra "homossexualidade" não se encontra nas páginas das Escrituras. O Antigo Testamento usa o termo *sodomia* (Gênesis 19:4-10; 1Reis 14:23; 1Reis 15:11,12; 2Reis 23:7; Deuteronômio 23:17,18). Outros termos usados são os seguintes: *abominação* (Levítico 18:22; Deuteronômio 22:5), *paixões desonrosas* (Romanos 1:26,27), *arderam em desejo sensual* (Romanos 1:27), *desonrarem seus corpos entre si* (Romanos 1:24), eram *maus e grandes pecadores* (Gênesis 13:13), *pelo que é contrário à natureza* (Romanos

1:26), *cometendo indecência* (Romanos 1:27), *sonhadores alucinados* (Judas 8, *ARA*), *seguindo após outra carne* (Judas 7, *ARA*), *efeminados* (1Coríntios 6:9, *ARA*), *impuros, sodomitas* (1Timóteo 1:9,10, *ARA*), uma *mentalidade condenável* (Romanos 1:28).

Um homossexual não deve ser condenado por suas tendências homossexuais

Sentir-se atraído por alguém do mesmo sexo é uma tentação singular e difícil. Mas tentação não é pecado. Enquanto a pessoa resiste à vontade de colocar em prática os seus desejos ou de inflamar a sua mente com tais desejos, ela não está pecando.

As consequências da homossexualidade

Apesar de a homossexualidade ser mencionada com outros pecados na passagem de Romanos 1:24-32, tais como: *injustiça, malícia, cobiça, maldade, inveja, engano etc*, as consequências dela para os indivíduos envolvidos, suas famílias, igrejas e sociedade em geral são muito mais graves que alguns dos outros mencionados no texto. Esta observação é importante à luz das muitas justificativas apresentadas em defesa do homossexual. Naturalmente com Deus não existem níveis de pecado, mas existem diferenças de consequências de certos pecados. É importante lembrar que Deus destruiu não somente uma cidade, mas uma sociedade por causa deste pecado específico. A homossexualidade é julgada por Deus como uma abominação.

Referindo-se ao pecado de Sodoma, Deus usou as seguintes expressões: *Os homens de Sodoma eram maus e grandes pecadores contra o SENHOR* (Gênesis 13:13).

> *E o SENHOR acrescentou: Porque o clamor contra Sodoma e Gomorra se multiplicou, e o seu pecado se agravou muito...* (Gênesis 18:20). [...] *pois vamos destruir este lugar, porque o clamor contra ele tem crescido muito diante do SENHOR, e ele nos enviou para destruí-lo* (Gênesis 19:13).

Este pecado era tão terrível que mereceu uma erradicação total, semelhante à destruição do mundo pelo dilúvio.

NÃO HÁ EVIDÊNCIAS DE QUE A HOMOSSEXUALIDADE É DEVIDA A CAUSAS GENÉTICAS

Rejeito a ideia de que algumas pessoas nascem homossexuais. Creio que existe possibilidade de desenvolver, através da infância e da adolescência, características femininas (ou vice-versa) ou tendências de ser atraído pelo mesmo sexo, conforme o ambiente do lar. Por exemplo, as mudanças de papel do marido e da esposa que estão acontecendo em nossa sociedade são fatores que contribuem para o crescimento de características femininas nos rapazes.

Provavelmente, há muitos problemas emocionais que levam moças e rapazes à prática deste ato. Refiro-me a famílias desajustadas, cujos filhos são muito inseguros e têm uma baixa autoimagem. Mas não podemos cair no erro de justificar tal procedimento porque a pessoa foi vítima do ambiente.

A Palavra de Deus nos diz que quando uma pessoa rejeita a lei moral de Deus, *gravada no seu coração* (Romanos 2:15, *ARA*), tal pessoa se envolve na *impureza sexual* (Romanos 1:24). Em outras palavras, há preponderância nas evidências que sugerem que a maioria dos casos se deve a fatores psicológicos, sociais e culturais. Creio que esses fatores são resultado de uma sociedade que tem rejeitado os princípios e propósitos de Deus.

Qualquer pessoa envolvida neste comportamento tem possibilidade de conseguir a vitória

Deus, em Cristo, promete poder para curar doenças, vencer o inimigo e mudar padrões de vida. Se este último ponto é verdadeiro, e tenho plena certeza que o é, quero compartilhar algumas sugestões e precauções em como obter a vitória. As sugestões e precauções que vou dar são para aqueles que pensam que estão totalmente isentos desse problema; para aqueles que reconhecem que talvez tenham algumas tentações nessa área; e para os que já se envolveram na prática da homossexualidade, ou têm, vez por outra, praticado este pecado.

1. Reconheça que a homossexualidade é sempre pecado. Cuidado com o mecanismo de racionalização que procurará dar-lhe uma forma de se justificar. Reconhecemos que há fatores psicológicos culturais e sociais que contribuem para que o jovem caia nessa tentação, mas isto nunca deve ser um motivo de justificativa.

2. Reconheça que mesmo você não está isento deste pecado. O simples fato de sermos pecadores já é suficiente para dizer que potencialmente todos nós somos capazes de ter uma vida deturpada. Portanto, nunca devemos pensar que não é possível cair nessa tentação.

3. Esteja atento para não passar muito tempo a sós com uma pessoa do mesmo sexo. É verdade que, ocasionalmente, o Senhor nos dá uma amizade que nos supre tão perfeitamente que nos parece brilhar mais que todas as outras. Se você tem um amigo(a) assim louve a Deus por ele(a). Ao mesmo tempo, tenha cuidado para não ter apenas um(a) único(a) amigo(a) íntimo(a), mas vários bons(boas) amigos(as). É na exclusividade desse tipo que ocorrem os perigos que levam à homossexualidade e à lesbianidade.

4. Seja cuidadoso em não demonstrar excessiva afeição física por pessoas do seu sexo. Muitas vezes, pessoas que têm dificuldades emocionais e mentais procuram supri-las por meio de uma amizade profunda que facilmente pode ser levada a um contato físico anormal.

5. Apesar de ser verdade que ocasionalmente pessoas casadas adquirem inclinações homossexuais, esse é mais um problema de pessoas solteiras. Tenha cuidado para não estabelecer um relacionamento muito íntimo com alguém de seu sexo numa espécie de substituição do companheiro do casamento.

6. Ore por sabedoria em todos os seus relacionamentos, especialmente se você suspeita ter traços em sua personalidade que poderiam criar dificuldades nessa área.

7. Se você perceber que tem inclinações anormais em relação ao seu sexo, determine a causa, tanto quanto o sintoma. A causa, normalmente, é mais profunda e mais difícil de ser encarada. Talvez seja falta de confiança, ou um sentimento de rejeição, ou necessidade de autoafirmação, ou um sentimento de solidão.

8. Geralmente o socorro mais prático é o mais difícil: encontrar alguém de sua confiança com quem você possa abrir seu coração e conversar sobre seu problema. Não esqueça: Deus usa eficientemente pessoas na nossa vida para nos ajudar na hora da tentação e do pecado.

9. Lembre-se de que Deus o ama e vai perdoar todos os pecados na área do sexo. Não há pecado imperdoável, a não ser a nossa incredulidade. [...] *o sangue de Jesus, seu Filho, nos purifica de todo pecado* (1João 1:7).

10. Desenvolva um estilo de vida que lhe garantirá a vitória:

    a) Ande em constante comunhão com o Senhor, tendo todos os seus pecados confessados. Isto quer dizer, viver cada momento da sua vida pela graça de Deus;

b) Discipline-se num constante estudo e meditação na Palavra de Deus;

c) Desenvolva uma vida constante de oração;

d) Esteja em constante comunhão com outros irmãos na fé cristã. Essa disciplina é indispensável para uma vida vitoriosa.

11. Observe o texto: *Lembrem-se, porém, disso — os maus desejos que penetram na vida de vocês não têm nada de novo nem de diferente. Muitos outros enfrentaram exatamente os mesmos problemas antes de vocês. E nenhuma tentação é irresistível. Vocês podem confiar que Deus impedirá que a tentação se torne tão forte que não a possam enfrentar, visto que Ele assim prometeu e cumprirá o que diz. Ele lhes mostrará como fugir do poder da tentação, para que vocês possam aguentá-la com paciência* (1Coríntios 10:13, NTV).

12. Um dos valores incomparáveis do cristianismo é que nunca estamos sozinhos. Temos o Senhor e os irmãos em Cristo em quem podemos confiar. Somos membros uns dos outros. Portanto, aproveite os recursos do corpo de Cristo.

Senhor, louvo-te pela minha sexualidade. Pela maravilhosa atração sexual, aprendi coisas importantes a respeito de minha vida e a teu respeito. Senhor, sei que a minha identidade verdadeira em Cristo não é homossexual, mas heterossexual. O foco sexual da minha vida deve ser o sexo oposto. Senhor, eu penso que nunca poderia envolver-me na prática da homossexualidade. Sei, entretanto, que o inimigo é sutil e reconheço que não estou totalmente isento deste pecado. Senhor Jesus, ajuda-me a andar em constante comunhão contigo. Quero sempre ter os meus pecados confessados; disciplina-me num constante estudo e meditação da tua Palavra. Não permitas, Senhor, que eu ceda à tentação e caia na mão do Diabo. Amém!

O que aprendi neste livro

REGISTRE AQUI OS PONTOS PRINCIPAIS APRENDIDOS NESTE LIVRO